D1059480

Lazarillo de Tormes

Clásica
Narrativa

LAZARILLO DE TORMES

Prefacio de Gregorio Marañón

Edición de Víctor García de la Concha

AUSTRAL

El papel utilizado para la impresión de este libro es cien por cien libre de cloro y está calificado como **papel ecológico**.

Esta edición dispone de recursos pedagógicos en www.planetalector.com

Avinguda Diagonal, 662, 6.ª planta. 08034 Barcelona (España)
www.espasa.com
www.planetadelibros.com

Diseño de la colección: Compañía
Primera edición: 5-XI-1940
Sexagésima séptima edición:
Primera edición en esta presentación: abril de 2010
Segunda impresión: febrero de 2011
Tercera impresión: octubre de 2011
Cuarta impresión: febrero de 2013
Quinta impresión: enero de 2015
Sexta impresión: enero de 2016
Séptima impresión: febrero de 2017

Depósito legal: B. 35.143-2011
ISBN: 978-84-670-3340-3
Impresión y encuadernación: CPI (Barcelona)
Printed in Spain - Impreso en España

ÍNDICE

PREFACIO de Gregorio Marañón 9

INTRODUCCIÓN de Víctor García de la Concha ... 27
Un libro todo problemas 28
Una carta sobre «el caso» 32
Estructura del relato 36
La «carrera del vivir» en tres módulos ternarios 40
La modernidad ideológica 45
¿Un libro heterodoxo? 47
Perspectivismo y arte literario 49
Un libro absolutamente moderno 52

BIBLIOGRAFÍA 55

LA VIDA DE LAZARILLO DE TORMES, Y DE SUS FORTUNAS Y ADVERSIDADES

Prólogo 61
Tractado primero.—Cuenta Lázaro su vida y cúyo hijo fue 65
Tractado segundo.—Cómo Lázaro se asentó con un clérigo, y de las cosas que con él pasó 85

Tractado tercero.—Cómo Lázaro se asentó con un escudero, y de lo que le acaesció con él 101
Tractado cuarto.—Cómo Lázaro se asentó con un fraile de la Merced, y de lo que le acaesció con él 127
Tractado quinto.—Cómo Lázaro se asentó con un buldero, y de las cosas que con él pasó 129
Tractado sexto.—Cómo Lázaro se asentó con un capellán, y lo que con él pasó 143
Tractado séptimo.—Cómo Lázaro se asentó con un alguacil, y de lo que le acaesció con él 145

PREFACIO

I

Mientras el navío corre hacia la Europa turbulenta y eterna he releído LA VIDA DE LAZARILLO DE TORMES. Ahora veo a España como nunca la he visto. Ya no vivo hundido en su propia existencia caliente, y a veces calenturienta, incansablemente generadora; sino que, desde fuera, desde una distancia sentimental mucho mayor que la del número de leguas que me separan de ella, contemplo su presente como si fuera historia pasada; y su pasado como si fuera un sueño. Un extraño fenómeno surge ante esta nueva visión. Cosas que antaño, cuando estaba allí, me parecían naturales, aparecen hoy a mis ojos como tocadas de insensatez; y otras, que no comprendía, las veo ahora claras como a través de un cristal inmaculado. Y, a favor de esta mutación de mi punto de vista, me divierte leer de nuevo volúmenes antiguamente leídos. Acaso sea en este experimento donde con nitidez más grande se revela aquella transformación de mi espíritu. Repentinamente he encontrado el sentido de libros que siempre me enojaron o me aburrieron; y otros, que eran delicia de mi vagar o alivio de mis preocupaciones, sin saber por qué se me caen ahora de las manos.

¿Y el LAZARILLO DE TORMES? Pero antes de hablar de él tengo que decir una de esas cosas, intrascendentes pero socialmente escandalosas, que, por ello, sólo se declaran en el umbral de la muerte o en esa situación, ya un tanto extraterrena, que es el vivir expatriado. Esa cosa es que he sentido siempre una antipatía profunda por la novela picaresca. Si lo hubiese dicho al examinarme de Historia de la Literatura en el Instituto, me hubieran suspendido. Pero ahora lo puedo decir. Y, desde luego, entre esa antipatía incluyo a una de sus piezas magistrales, que es LA VIDA DE LAZARILLO DE TORMES.

II

Es inútil que advierta que mi actitud no se funda en motivos literarios. Literariamente, sé que muchas de las novelas de la picaresca española son maravillosas. El LAZARILLO sin duda lo es; y a mí, como a cualquier lector, me lo parece. Es más, no puedo imaginarme por qué algunos críticos, extranjeros y españoles, consideran la prosa de este libro como deslavazada y vulgar, hasta el punto de suponer, ciertos de ellos, que el autor de la novela pudo ser un hombre de no mucha más alta condición social que la del mismo truhán, criado de ciegos, de presbíteros roñosos, de escuderos famélicos y de anunciadores de bulas, que representa, en la novela, el papel de protagonista. Sólo una mente alejada por la erudición de la realidad puede imaginar que las aventuras de LÁZARO, el gran bellaco, sean autobiográficas. El crítico de la edición en que ahora releo el famoso libro, Cejador, no cree en esta condición plebeya del novelista; pero está de acuerdo en lo de la imperfección literaria del popular relato. «El LAZARILLO —escribe—, donde la "y" tanto se menudea y donde no hay un solo período bien rodeado», etc.

¿A qué llamarán los «eruditos» rodear un período?, nos preguntamos los lectores de la calle. Abramos el volumen al azar y copiemos algunos de sus períodos:

«Y en esto, yo siempre le llevaba (al ciego) por los peores caminos y adrede, para hacerle mal daño: si había piedras, por ellas; si lodo, por lo más alto. Que aunque yo no iba por lo más enjuto, holgábame a mí de quebrar un ojo por quebrar dos al que ninguno tenía. Con esto, siempre con el cabo alto del tiento, me atentaba el colodrillo, el cual siempre traía lleno de tolondrones y pelado de sus manos. Y aunque yo juraba no hacerlo con malicia, sino por no hallar mejor camino, no me aprovechaba ni me creía: tal era el sentido y el grandísimo entendimiento del traidor».

Por esta página, repito, se ha abierto el libro al azar; pero las demás son iguales. Todas, aun las que refieren sucesos más villanos, aun las que parecen escritas más a la ligera, denotan al mismo escritor excelente; y excelente, sobre todo, porque sin darse cuenta «rodea» el período. Cierto que lo hace sin afectación y con el donaire de las cosas escritas como si las estuviera conversando, a la ligera y al pasar; pero esto no es más que puro mérito del escritor de raza, aunque algunos académicos encuentren motivo para sus melindres filosóficos, que, en verdad, son más fáciles de tener que de tener gracia para escribir. Igual que del autor del LAZARILLO han dicho los dómines de la lengua de los más altos escritores castellanos, empezando por aquel que se llamaba don Miguel de

Cervantes y Saavedra. Entienden los tales por descuido del viento de la calle que despeina un tanto el lenguaje, como el cabello de los que gustan sentir el aire libre en la cabeza. Pero, a la vez, el viento le tonifica y le inyecta la savia creadora del pueblo, artífice supremo del idioma.

Mis peros al LAZARILLO y, en general, a la literatura picaresca son, pues, de otro orden. Se basan en su profunda inmoralidad, en su pesimismo, en su sentido despectivo de lo español.

III

La inmoralidad de la novela picaresca no se refiere a ciertos episodios atrevidos —además no excesivamente crudos— del orden del amor y la barraganía. Esto nunca daña, ni siquiera a los adolescentes en flor. Son cosas que, al fin, hay que saber y que no perturban la conducta más que a aquellos que la tienen, de nacimiento, lastimada. En cualquier romancillo de los muchos y maravillosos que se recitaban ante las reinas y las infantas pudibundas, y que jamás han merecido la censura de nadie, se habla del amor con más libertad y con emoción más cálida que en las aventuras de los malandrines de la picaresca.

Lo pésimo de esta literatura estriba en el hecho de vestir las fechorías sociales —el robo, el engaño, la informalidad ante la palabra, el mismo crimen— de una gracia tan sutil que todo lo atenúa y que acaba por justificarlo todo. Es evidente que se puede ser bellaco con un cierto primor, que invita a perdonar la bellaquería. Pero en la novela picaresca el bellaco es algo más que un sinvergüenza simpático: es siempre el protagonista inteligente, hábil, ingenioso, ante el cual todos los obstáculos se esfuman; en suma, el héroe.

Siempre ha existido esta tendencia del arte a disculpar a un cierto tipo de seres inmorales o de facinerosos. Es una de las miserias, sobredoradas de gloria, del arte. Recordemos sólo la literatura romántica —más aún que la española, la extranjera—, que hizo de nuestros bandidos serranos una suerte de modernos caballeros andantes. Hoy mismo las gentes se quejan, con razón, de la categoría heroica que las novelas policíacas y el cinematógrafo dan al prototipo del moderno malhechor, al «gangster». Pero hay una diferencia: nuestro José María, el bandido de las breñas andaluzas, al que venían los pintores ingleses a retratar con riesgo de su vida; o Luis Candelas, el estafador lleno de salero madrileño, acababan su vida —a pesar de las simpatías cosechadas— en la horca o derribados por un balazo de la Guardia Civil. En tanto que el pícaro de nuestro Siglo de Oro acaba invariablemente siendo un gran personaje; a fuerza de inteligencia y de cinismo les gana la partida a las gentes medias, honradas y, claro es que no rara vez, un tanto estúpidas. La moraleja en la historia de nuestros pícaros es, por lo tanto, peor que su misma vida aventurera y licenciosa.

La popularidad de las novelas picarescas fue extraordinaria. Del LAZARILLO dice el mismo Cejador que se difundió «con tan buena estrella y general aplauso cual no se recordaba de otro libro alguno desde que se publicó *La Celestina,* ni había algún otro de sonarse hasta que *Guzmanillo* y *Don Quijote* vinieron al mundo». Fue el LAZARILLO, sin duda, «la más famosa obra de ingenio» en tiempo del Emperador. En éste y otros manuales parecidos aprendían aventureros, malandrines y gallofos, no sus artes, que éstas necesitan de escuela práctica, pero sí algo peor, que era la glorificación ingeniosa de sus fechorías y, por lo tanto, el arte de hacerlas simpáticas. La infección se extendió por todas las capas sociales, pero no en vano los tales libros se encontraban no sólo en los bolsillos agujereados de las gentes de mal vivir, sino «en la recámara de los señores, en el estrato de las damas y en el bufete de los letrados». El alguacil y escribano, que competían en picardía con los propios granujas; y el noble, jugador, tramposo y truhán; y la gran señora, hipócrita y liviana; todas estas gentes —sepulcros blanqueados por fuera— que aparecen en el primer término del escenario español durante los tiempos de la gran gloria estatal, era, en efecto, en esas páginas, tan divertidas y tan venenosas, donde aprendían su lección.

Allí aprendió la suya el gran Quevedo, ejemplo insigne de todas las excelsitudes del pensamiento, pero, ¡ay!, también de esa secta, no exclusiva de España, pero en España singularmente poderosa, del literato ilustre que, por serlo, se cree dispensado de las normas del respeto y de la medida sociales, que a los demás ciudadanos altos y bajos se nos exigen, con razón, como contribución indispensable a la posibilidad de la vida en común. Esta especie no se interrumpe desde el gran don Francisco, pasando por Torres de Villarroel —un tahúr a quien su gracia sirvió de pabellón para las más innobles aventuras—, hasta nuestros días, en los que todavía es fácil encontrar numerosos ejemplos de vidas de pícaros y escenas dignas del patio de Monipodio en cualquier tertulia literaria, de redacción o de café.

IV

Además de este su sentido radicalmente inmoral, la picaresca tuvo una influencia pesimista, lamentable, en el alma española. El triunfo de lo que no es justo produce siempre una impresión depresiva en la sociedad. La misma alegría del bellaco triunfador es tan falsa y tan fugaz como la del borracho. De momento, nos divierte, también, ver u oír los disparates ingeniosos de un hombre embriagado; pero en seguida se produce una reacción de mal humor. Nada entristece a un hombre sano como el volver del espectáculo de una juerga divertida. ¿De qué sirve —se pregunta el espíritu sencillo— la sana alegría de la conciencia recta, comprada quizá con heroicos esfuerzos, si esos hombres en torno de una mesa llena de botellas enloquecen de risa y de buen humor, y divierten de tal modo a los demás? De la misma manera, si el pícaro acaba en personaje, ¿para qué —se pregunta ese mismo varón simple—, para qué seguir la senda recta y dura?

La ola pesimista que invadía a España desde el siglo XVI, cuando todavía era el mayor Imperio del mundo, no se había engendrado, ciertamente, en razones de política, porque el porvenir de la vida nacional aparecía aún como un camino llano, que se trifurcaba en las direcciones universales, sin obstáculos a la vista: hacia Europa, hacia África y hacia las Indias de allende los mares. Donde se engendró fue en el espectáculo de la vida interior del país, en la que LAZARILLO, después de arrastrar su existencia por todos los arroyos del cinismo, asistía, como gran personaje, «en la cumbre de toda fortuna», al triunfo del Emperador en la corte del universo, en la insigne ciudad de Toledo. Y como él, otros muchos, de su misma calaña, gozaban de tan lucida carrera social.

Aún no se había escrito la historia inmortal de don Quijote, vapuleado por los jayanes y escarnecido por los duques. Pero el quijotismo, que había creado la gran España, empezaba a amustiarse en el alma de los españoles representativos, asfixiado por el incienso que rodeaba a LAZARILLO.

V

Pero, sobre todo, empaña mis entusiasmos hacia la picaresca el influjo indudable que esta literatura ha tenido en la depresión de los valores fundamentales —claro es que hablo de los morales— de España. De los pecados que antes he señalado —la inmoralidad y el pesimismo— podrían excluirse algunos de estos libros, escritos por espíritus generosos, porque, en ellos, la pintura de la hez social conduce a nobles conclusiones éticas: tal Cervantes, que precisamente titula *Novelas Ejemplares* a las más hermosas y más realistas páginas que se hayan escrito sobre la vida de los pícaros españoles. «Ejemplares» son porque, en efecto, de su pintura sólo trasciende al lector, al lado de la emoción literaria incomparable, un sentimiento de bondad y de optimismo, y una moraleja llena de cándida pero piadosa victoria de la justicia y de la bondad sobre el mal.

Más aún esta picaresca «ejemplar» ha servido de argumento, como todo el resto del género, a una de las actitudes más injustas del pensamiento universal frente a España. A fuerza de leer estos libros, y de no leer otros, se ha ido formando la idea de que toda la gran España de la epopeya fue una España picaresca. Naturalmente, se conocen los otros héroes de esta España; pero aun ellos aparecen, muchas veces, teñidos de una sombra de gallofería. Basta leer los relatos de los viajeros que desde todos los lugares de la tierra acudían a España —lectura a la que soy especialmente dado— para convencerse de que el observador trasponía los puertos fronterizos, o pisaba las playas de la Península, con la retina deformada ya por un previo patrón de lo español; patrón pintoresco, divertido, pero lleno de pobretería, que afectaba, más aún que al bolsillo, a la conciencia. Cierto que en estos relatos —y también en las solemnes historias, inspiradas, muchas veces, como los simples diarios de los viajeros, en anécdotas— se habla también de la hidalguía, del heroísmo y de otras virtudes del español. Pero, por lo común, hasta estas virtudes aparecen mezcladas, ante el ojo del extranjero, con aquellos defectos; casi como si fueran la misma cosa. No en vano nuestro país —«el país de lo imprevisto», como le llamó un inglés que lo conocía a las mil maravillas— ha dado a luz al más imprevisto de todos los productos sociales, al «bandido generoso», mixtura de hidalgo y de pícaro en proporciones equivalentes.

Inútil es agregar que al lado de estas visiones tenebrosas de muchos de los espectadores de España hay otras que, por el contrario, muestran incontenida afición, inacabable indulgencia o desmesurado entusiasmo por nuestra patria.

En otro lugar he dicho que el extranjero contempla invariablemente a España no con su retina natural, sino puestas ante los ojos unas gafas que son ya de color negro, ya de color rosa. No hay que decir que las de color negro están teñidas en la tinta de nuestra literatura picaresca. A la mayoría de estos viajeros se les podría adivinar, sin más que leer unas cuantas de sus páginas, cuál era el libro español que, como guía, traían en las alforjas; y muchas veces este libro no era otro que el LAZARILLO. A esos hostiles o a esos pecaminosamente superficiales peregrinos son achacables las protestas que suscitaba la lectura de muchos viajes por España al grande, al ecuánime Balmes, gloria de la mentalidad hispánica, al que alaban mucho, pero al que, por desdicha, apenas leen mis compatriotas; unos, los de la izquierda, porque les irrita su serena ortodoxia eclesiástica; y otros, los de la derecha, porque casi todas sus páginas son un sermón contra su intransigencia.

Mas fuera injusto achacar esta visión y pintura lúgubre de la vida española tan sólo a los comentaristas extranjeros. Tanto como ellos han contribuido algunos españoles; y por eso he escrito antes adrede que se trata de «una visión universal» del panorama español. Uno de los libros más antipáticos aparecidos estos últimos años sobre España está escrito por un extranjero quevedista. Cuando yo le decía que España no es así, me respondía: «No hay una sola línea de mi texto que no esté apoyada en una cita de Quevedo». Y tenía razón. Desde que existe España como nación, muchos de nuestros propios artistas han propendido a una complacencia morbosa para escribir o pintar, con tremendo, indisimulado verismo, no la realidad española —que está, como todas las realidades, hecha de claroscuros—, sino la parte tenebrosa de esa realidad. Cuando se habla de España como de un país atroz, hay, pues, en cada momento y para cada caso, autoridades específicamente españolas en que apoyar la pincelada sombría. De estas autoridades, las más altas son las de los magníficos escritores de la picaresca.

VI

Sería muy prolijo meditar de dónde le viene al ingenio español esa tendencia a engolfar su arte en la copia, casi en la exaltación, de lo que hay de sombrío en la realidad que le circunda; tendencia cuyas dos expresiones típicas son la literatura picaresca, que estamos comentando, y la pasión, común a casi todos nuestros grandes pintores, de elegir como temas de su pincel cuanto hay en España de áspero, de deforme o de macabro.

Probablemente estamos ante un caso de desviación patológica del ascetismo ibérico. Era el español asceta, desde antes de ser cristiano —desde antes de Séneca—, por su natural estoico. El español no es, como suele decirse, triste; pero su alegría es una «alegría seria» —y no es paradoja—; una alegría que le sale directamente del alma, o bien del goce puro de las cosas externas, las grandes, las elementales, las eternas, que llegan al alma sin recrearse más que lo indispensable en los sentidos; y ese contacto con el alma da a todo, hasta a la alegría, una inconfundible seriedad. La alegría ruidosa, jocunda, de otros pueblos, como los del centro de Europa, nace de la necesidad de sustituir la falta de la severa alegría ascética por el regodeo de los sentidos. Probablemente, más que cuestión de raza es cuestión de geografía. La vida en el escenario de la naturaleza infinita como la de nuestras tierras, naturaleza un tanto dura en el detalle, pero de inmensa profundidad, propende espontáneamente al ascetismo. La existencia transcurre entre nosotros, casi las veinticuatro horas del día, ensimismada en plena naturaleza; y, por lo tanto, en relación con Dios. La casa es sólo un refugio para los días de lluvia, que son muy pocos al año. La alcoba del español es casi una celda. Así viven el hombre y la mujer hispánicos; y también muchos de los de su raza, como el gaucho de América; Martín Fierro, por ejemplo, es un asceta más, asendereado a fuerza de rodar por la Pampa. La alegría sensual, centroeuropea, nace, por el contrario, del paisaje limitado —limitado se entiende en profundidad— y de la necesidad de una vivienda excelente, caldeada, cómoda, en la que por la noche sus habitantes pueden desnudarse para meterse en la cama, y en la que la despensa pingüe adquiere categoría principal.

El asceta aprendía no sólo a tolerar *sino a amar* aquello que no es agradable. Es ésta una de las fuentes, inexcusable, de su alegría seria, alimentada no de los arroyos que saltan por la superficie, sino de hondas venas subterráneas. Y, en consecuencia, el asceta propende a convertir ese amor de generosidad hacia lo pobre y lo deforme, que nace de la tolerancia cordial y caritativa, en amor preferente o exclusivo. Está bien esto como norma de religión, pero no de estética.

En el fondo, yo he visto una inmensa caridad, antes que ninguna otra cosa, un inmenso sentido de liberalismo cristiano, en Velázquez, cuando pone su genio a la disposición de los míseros bufones, desperdicios humanos, con tanto amor como lo rendía a los pies de los grandes caballeros y de los reyes. El bobo de Coria, de cuya horrenda catadura y de cuya simplicidad de espíritu se servían, para no aburrirse, los frívolos cortesanos, estaba más cerca de Dios que los galancetes esbeltos y las grandes señoras con la cara maquillada. Velázquez lo sabía bien. Sin duda, este mismo cristianismo, este mismo afán heroico de igualdad de las criaturas ante la divinidad es el que corre, en un temblor de generosa simpatía, por la pluma de Cervantes, cuando nos describe, con mal disimulado amor, a los desdichados galeotes, enristrados, como cuentas de rosario, en su cadena.

Mas esta cristiana simpatía puede convertirse en enfermiza predilección por lo terrible; en anómalo desprecio por lo bello, que comparte con la fealdad el imperio de la naturaleza viva y de la inanimada. Así como el buen comedor puede pervertir su apetito y acabar prefiriendo al manjar fresco y oloroso el hedor de la carne adrede corrompida, o al terciopelo del vino añejo la llama brutal del aguardiente; así como el buen amador puede olvidar los goces de la pasión normal y descarriar por los vericuetos enlodados del vicio, así el estoico puede trocar en morboso regodeo la indulgente caridad hacia las cosas feas y tristes de la vida. Entonces, si tiene una paleta en la mano, pintará un muerto, no en su noble rigidez de mármol recién ausente del alma, sino como un montón de gusanos hediondos. Lo mismo el escritor.

VII

Acaso otras razones de calidad menos noble influyan también en esta actitud cruelmente realista, hasta más allá de los límites normales, de un grupo excelso de ingenios españoles. Tal sería, por ejemplo, el afán de impresionar con las truculencias la curiosidad de propios y extraños.

Algunos suponen que en muchas de las exaltaciones españolas de lo miserable y de lo deforme late una sorda protesta, acogotada por la censura, contra lo egregio y lo oficial, que es, al menos en su exterior, bello. Pero esto no me parece cierto. Una censura violenta no existía en aquella España más que para los asuntos teológicos; no para los de orden social y político. Lo prueba el que la literatura subversiva es tan copiosa en español como en cualquiera de los otros idiomas de entonces. Y en cuanto a la censura religiosa, el español se acomoda a ella dócilmente; es más, se hubiera acomodado voluntariamente, sin necesidad de represiones, porque casi sin excepción era sinceramente católico. Es rarísimo el español de cualquier tiempo para quien suponga una efectiva violencia el no poder discutir a la Santísima Trinidad.

VIII

Como enfermedad, o si se quiere como pasión del espíritu ascético, ha de interpretarse, a mi juicio, el recreo de ciertos artistas españoles por las facetas lamentables de la vida, recreo del cual es la picaresca una de sus más características expresiones. Y esta pasión, peligrosa como lo son casi todas, convirtiose en calamidad; porque de ella nació un género especial, falsamente exclusivo, como si no hubiera otra cosa que seres deformes en lo físico o en lo moral por tierras de España. Y de este género surgió a su vez una interpretación de España triste y pobre, gracias a la mala intención de algunos y a la ligereza de otros.

Los malintencionados pusieron las aspas del molino de nuestra leyenda negra al viento de este arte sombrío.

Los ligeros se aprovecharon de él para pintar, con la pluma o con los pinceles, cuadros atroces, en los que prender —como los ciegos que romancean en la plaza pública— la atención y los maravedíes de la gente.

Cierto que para el hombre de buena fe y para el hombre de juicio reposado había también otros documentos en que informarse de lo que fue en toda su realidad la gran España de los tiempos de la picaresca. Junto al LAZARILLO y junto al *Guzmán de Alfarache,* y junto a los pícaros y a las arpías abracadabrantes de don Francisco de Quevedo, estaba la literatura del honor —la más típica y la más gloriosa de nuestro teatro—, y el genio alado de los místicos, y la maravillosa poesía del romancero, destilando las esencias más puras y más nobles de cuanto puede albergar de bueno y de gracioso el alma humana. Y al lado de los monstruos de Velázquez estaban, igualmente, sus retratos y sus santos y sus paisajes, trémulos de elevados alientos transparentes; y los hidalgos del Greco, que quisieran desde antes de morir alcanzar el cielo con sus manos largas y dobladas «con la misma curva del borde de los cálices»; y los frailes llenos de humana santidad de Zurbarán. Pero el ojo maligno o el ojo superficial sólo veía lo atroz y lo injusto: el hombre honrado, prendido, porque pensaba como quería, por los familiares del gran Inquisidor; o el valiente mozo, gimiendo, por mantener un puntillo de honor, bajo el rebenque del cómitre; o el hidalgo que para disimular el hambre acerba se pasea limpiándose los dientes inusados con una pajilla.

No hace mucho he leído un estudio sobre los enanos de Velázquez, escrito por un médico excelente y notable catador de cosas artísticas; pues bien, para él toda España se reducía a los bufones cuya miseria inmortalizó el genio del pintor sevillano. Y la verdad es que en los mismos lienzos velazqueños y en cualquiera de las mil obras maestras de la época se encuentra otra España magnífica, no deforme, sino maravillosamente bella; no pobre, sino rica, de la riqueza que nunca se acaba, la que no está sujeta a las cotizaciones de los mercados, la del alma. Con la herencia de esa España magnífica andamos todavía con orgullo, aunque sin vanidad, por el mundo.

IX

Mucho mal nos han hecho estas historias picarescas, en las que el ingenio inigualado de sus autores dio patente de corso a la bellaquería, y creó en las gentes el desaliento que produce la injusticia entronizada, y ante el mundo engendró la falsa idea de una España desharrapada y cínica.

A muchos extrañará mi diatriba contra los libros de la picaresca. Lo malo es que sea tan humilde su vapuleador y que no hayan encontrado todavía para arrojarlos —en hipótesis— al fuego una mano genial, como aquella que arremetiera con mucha menos razón contra los libros de caballería.

Muchas cosas más he de decir, si Dios me da vida, porque ahora ya no me importan ni los respetos al puritanismo de los profesores, ni la consideración a esos tradicionalistas que han perseguido con saña a tantos grandes escritores contemporáneos, a los que más han hecho por la gloria de España, sólo porque en pequeñas y perecederas cosas no pensaban como ellos. Y que en cambio no han tenido una palabra de condenación para estos antipatriotas de nuestro Siglo de Oro: sólo porque pensaban en cosas fugaces, como ellos.

La historia de España, de la España eterna, se ha de continuar sobre valores de ética rigurosa. Hay para ello que hacer muchas cosas. Una es escarbar valientemente en nuestra conciencia tradicional y arrancarle la buena hierba de la picaresca, el espíritu de LAZARILLO, vivo todavía; arrancarle de nuestra alma, a pesar del yelmo intangible con que le protege la magia todopoderosa del ingenio.

G. MARAÑÓN

INTRODUCCIÓN

He aquí un libro absolutamente moderno. De «novedad absoluta» lo calificó uno de sus mejores conocedores, Marcel Bataillon. Y a fe que, cuando apareció, a mediados del siglo XVI, lo era, en su contenido tanto como en su forma. La primera mitad del siglo había estado literariamente dominada por la narrativa idealista. Desde 1450, una clase caballeresca que había ido perdiendo su función social originaria, se refugiaba en la literatura y trataba de insuflar vida, en las convencionales logomaquias de la novela sentimental, a unos ideales en realidad ya caducados. No era muy diverso el signo de los libros de caballerías que, a partir de la publicación del *Amadís,* en 1508, propagaban, sin preocupación alguna de realismo, ni siquiera de verosimilitud, un heroísmo mítico cortesano.

Cierto que *La Celestina* había introducido otro tipo de discurso impregnado de realismo, y que su descendencia directa —media docena de obras en esa primera mitad del XVI— o indirecta —tipo la *Comedia thebaida*—, junto con otras obras, como *La Lozana Andaluza,* alcanzaban notable resonancia e, incluso, introducían en los géneros narrativos idealizados ligeras inflexiones de contracción hacia la realidad. Pero la intensa fermentación social de aquella edad conflictiva, que desbordaba la *Tragicomedia de Calixto y Melibea,* no hallaba en la narrativa un cauce adecuado y se dispersaba en una serie de géneros o subgéneros escasamente definidos: el ensayo, las cartas, las memorias, los diálogos.

Con todo, no digo ya esta literatura mixta, más bien minoritaria, sino, incluso, la de corte realista no alcanzaba las proporciones de la novela sentimental o la que la larga lista de títulos de caballerías, a lo humano y a lo divino, evidencian. Al filo del medio siglo iban a empezar a configurarse, además, partiendo de un tronco común, otros tres géneros de carácter idealista: los libros de pastores, la novela morisca y la bizantina, cuya andadura ocupará el resto del siglo. De 1551 es *Ausencia y soledad de amor,* de Antonio de Villegas, obra en que lo sentimental se mezcla a lo pastoril; una heterogénea mezcla de elementos sentimentales, caballerescos, pastoriles y de viajes fantásticos compone el *Clareo y Florisea,* que Núñez de Reinoso publica en 1552; y no me parece, en fin, casual que la segunda edición del prototipo pastoril, la *Diana,* de Montemayor, incluya *El Abencerraje,* prototipo morisco.

UN LIBRO TODO PROBLEMAS

Así las cosas, en 1554, como en una floración primaveral, aparecen en Alcalá, Amberes, Burgos y Medina del Campo cuatro ediciones de LA VIDA DE LAZARILLO DE TORMES, Y DE SUS FORTUNAS Y ADVERSIDADES. Ya en 1982 conjeturaba José Caso (1982) que antes había habido otras y que debieron también de circular bastantes copias manuscritas, cosa entonces frecuente: nos encontraríamos, de ese modo, ante una rica tradición lazarillesca, de la que la novelita que a nosotros ha llegado constituiría una continuación. Cotejando los textos y la tipología de esas cuatro ediciones —formato, disposición de portadas y titulillos, etcétera—, Francisco Rico (2011) concluye que todas ellas «nos ponen a pocos pasos de la edición *princeps*». Las cuatro ediciones de 1554 fueron hechas, según él, «a la diabla, sin la revisión que habrían exigido. En todas, desde las primeras líneas, persisten las escandalosas erratas de la *princeps*, cuya puntuación apenas fue objeto de retoques. Es transparente que se hicieron aprisa y corriendo, prestándoles la mínima atención editorial. El obvio apresuramiento apunta que entre ellas, y probablemente entre ellas y la *princeps*, corrió muy corto espacio de tiempo».

Pero si resulta problemático determinar el número de ediciones perdidas, mucho más lo es fijar la fecha de redacción de la primera de ellas (o del manuscrito que hubiera podido circular en copias). Por simple casualidad o intencionadamente, las dos únicas referencias históricas individualizadas que aparecen en el libro —una batalla de los Gelves (Tratado I) y unas Cortes presididas en Toledo por el Emperador (Tratado VII)— se nos escabullen, ambiguas, en cuanto queremos apresarlas. Veamos un poco la cronología interna del relato: si cuando muere su padre «en la de los Gelves», Lázaro es «niño de ocho años», tras las seis etapas de servicio a otros tantos amos y después del tiempo invertido en los tres oficios de aguador, ayudante de alguacil y pregonero, al redactar su biografía, a los pocos años de casado, debe de andar por los 24 o, a lo más, 27 años. Según eso, habría que elegir entre una de estas dos opciones de correlación: batalla de los Gelves en 1510 y Cortes de Toledo en 1525; o expedición de los Gelves en 1520 y Cortes de 1538.

Hay argumentos favorables para cada una de ellas y tampoco nos resuelve gran cosa el recurso a otras referencias ambientales. Porque es cierto que en 1538 las grandes polémicas ideológicas del erasmismo, a las que se supone vinculado el libro, se han atenuado. Pero acabo de decir «se supone» y, en cambio, en la década de 1540-1550 cobra gran auge el movimiento de defensa de las ciudades contra mendigos y vagabundos, y estalla la polémica entre Domingo de Soto, favorable a la libertad de mendicación, y el benedictino Juan de Robles. En mi libro *Nueva lectura del Lazarillo de Tormes* (1981) he remarcado la ambigüedad con que el anónimo autor del LAZARILLO utiliza, incluso, esos dos datos históricos, la batalla o expedición de los Gelves y las Cortes de Toledo: tal parece como si quisiera difuminar toda posibilidad de determinación y anclaje. En última instancia cabe que el padre de Lázaro no muriera realmente en la famosa batalla de los Gelves (1510) y que la referencia, en boca de su madre, no fuera más allá de una ficción para garantizar ante el ciego la buena estirpe del mozuelo que iba a tomar por lazarillo.

Con todo, la concordancia de la obra con *formas* narrativas que se perfilan a mediados del siglo —tal el relato en primera persona, que hallamos en *El Abencerraje,* en el *Viaje de Turquía,* etc.— y la ausencia total de alusiones en la literatura anterior a esa fecha a un libro que, a partir de entonces, va a generar, con rapidez, menciones y hasta locuciones proverbiales, parece que deben inclinarnos a suponer una fecha de redacción cercana a la mitad del siglo y próxima, por tanto, a su primera aparición impresa. De hecho los lectores de entonces, tal como demuestran las continuaciones, entendieron la obrita como una narración de convencionales «sucesos» contemporáneos.

¿Y quién sería su autor? Pocos enigmas históricos literarios han tentado tanto a los estudiosos como éste. En realidad, creo, no sólo, ni principalmente, por la satisfacción erudita del descubrimiento, sino por saber qué fue, y conocer, así, cuál fue su intención al escribir una novelita tan revolucionaria. Se han realizado hasta ahora muchas atribuciones. Algunas se apoyan en datos históricos: así, la que formula fray José de Sigüenza a favor de su correligionario fray Juan de Ortega, reivindicada modernamente por Bataillon. La mayor parte, en cambio, se basan en el cotejo de ideas y expresiones del *Lazarillo* con las del correspondiente hipotético patrono: don Diego Hurtado de Mendoza o Sebastián de Horozco; Juan o Alfonso de Valdés; Lope de Rueda o el Comendador Hernán Núñez de Toledo...

Pues bien, este mismo hecho de que las analogías de unos textos precisos puedan ser orientadas en tan diversas direcciones de autoría parece indicar que nos hallamos ante un conjunto de materias tópicas, formuladas en cantidad de estereotipos lingüísticos. Y que, en consecuencia, va a resultar difícil desvelar la anonimia, por lo demás, muy frecuente en la época. Hago mía en este punto la sagaz advertencia de Francisco Rico (1980), quien, tras dar cuenta de la atribución del LAZARILLO a «seis mozos, sin más ni más, que lo escribieron en dos días», no más sorprendente que la formulada a favor de un grupo de obispos en viaje hacia el Concilio de Trento, añade: «después han venido muchas atribuciones. Pero me temo que progresivamente menos verosímiles».

Nada extraño que quien tan bien se ocultó haya ocultado la clave de una obra que, en su brevedad, nos sigue aguijoneando desde hace más de cuatro siglos con sus secretos.

UNA CARTA SOBRE «EL CASO»

Vio muy pronto la crítica al LAZARILLO como un escrito articulado con destino a un enigmático personaje, al que Lázaro, el pregonero toledano convertido en narrador, llama «Vuestra Merced». Pero Claudio Guillén (1957) avanzó de manera decisiva al especificar que se trata de una carta, «epístola hablada dirigida a una personalidad de rango superior», que le pide amplia noticia sobre un determinado «caso». Lázaro cumple, según ello, un acto de obediencia. Un paso más y F. Rico (1970) identificará el motivo de la petición: las hablillas que corren por Toledo sobre un *ménage a trois* con Lázaro como cornudo y el arcipreste de San Salvador como tercero en concordia. Y no representaría tal *caso* un mero pretexto inicial para que el pregonero toledano rompa a contar su vida: «La autobiografía depende del *caso* y a la vez lo justifica [...]. Lázaro, el individuo, asume el pasado en función de su presente [...], la carta se organiza en la convergencia de los diversos episodios anteriores hacia el caso final». El LAZARILLO —en el que, realmente, Lázaro adulto, más que el niño Lazarillo, es el centro de gravedad— constituiría, en definitiva, un escrito de defensa ante una requisitoria.

Desde la lógica interna del relato propuso Gonzalo Sobejano algunas reservas: «parece inverosímil que un señor pida al humildísimo criado de un amigo suyo que le cuente qué hay de cierto en lo que se rumorea acerca de su vida marital con la manceba de dicho amigo»; «y más inverosímil aún que el criado, para satisfacer esa curiosidad [...], invierta numerosas páginas en referirle toda su vida, de niño a hombre, y dedique sólo dos al supuesto *caso* por el que se le preguntaba»; «podría ocurrir, pues, que el *caso* primero significase cómo llegó Lazarillo de mozo de ciego a posesor de un oficio real, o sea, cuál fue el proceso de fuerza y maña». Sobre esa pista proyecté yo mismo una relectura, teniendo en cuenta, como premisa previa, que la situación en la España del XVI de un matrimonio sobre el que, según las malas lenguas, planea la sombra de un clérigo, era sociológicamente irrelevante y literariamente tópica, y comprobando que, al margen de la circunstancia objetiva externa, desde la escueta realidad de la novela, no se perfilan razones coherentes —y el anónimo autor cuida al máximo la coherencia— para que ese desconocido señor exija cuentas a Lázaro sobre un problema matrimonial que éste evoca como agua pasada que no muele molino.

Sugiero, por ello, que partamos de un hecho obvio: Lázaro, para conseguir lo que todos en ese tiempo persiguen, honra, desea que se conozca su vida. Mas la convención sociológico-literaria reservaba entonces el género biográfico a sólo dos estratos de la estamentalidad, los oradores y defensores, prelados y señores. ¿Quién se iba a ocupar de un pobre pregonero? Sólo él podía pensar en hacerlo, y hasta para ello necesitaba un motivo. Un viejo *topos* literario venía en su ayuda: que alguien se lo pidiera. Pero ¿quién y por qué?

En uno de los *Coloquios familiares* recoge Erasmo el que fingidamente mantienen Harpalo y Nestorio. Está aquél empeñado en conseguir la honra que no tiene por herencia de sangre, cosa que a su compañero le parece una tontería, cuestión de puro nominalismo. Mas, como tanto insiste en la petición, le sugiere una serie de medios:

> Ante todo, procura alejarte de tu pueblo [...]. No uses vestidos de lana, sino de seda o, por lo menos, de fustán [...]. Por supuesto, no permitas, de ninguna manera, que te llamen Harpalo Comense, sino Harpalo de Como, porque es lo que corresponde a los nobles...

No hace falta que señale paralelismos con pasajes del *Lazarillo*. Pero nos interesa más lo que sigue:

> Ya, para que la opinión de los demás te sea definitivamente favorable, finge que los grandes te envían cartas en las que te traten de Caballero preclaro y se haga mención de tus hazañas, de tus posesiones y riquezas..., de tu opulento matrimonio. Y envíales tú, a tu vez, cartas...

Es lo que Lázaro va a contrahacer. Finge que un señor, amigo del arcipreste toledano de San Salvador y a quien éste debió de contar maravillas sobre su conchabado, le escribe solicitándole cumplida noticia sobre su «carrera de vivir», sobre cómo desde la humilde condición de «nacido en el río» logró llegar a la «cumbre de toda fortuna». A mí no me parece casual que el genial autor anónimo, quien, como acabo de decir, se preocupa de asegurar la coherencia hasta en el más mínimo detalle, haya hecho que el oficio público que Lázaro alcanza y desde el que escribe sea precisamente el de pregonero, cargo para el que, en cierto modo, se había preparado durante su etapa de aguador. Quien, según presume, es el mejor pregonero de Toledo —«tanto que, en toda la ciudad, el que ha de echar vino a vender, o algo, si Lázaro de Tormes no entiende en ello, hacen cuenta de no sacar provecho» (VIII)—, bien puede pregonar su vida y sacar provecho de ello.

Para que el «decoro» que la Retórica imponía —la adecuación entre hablante y estilo— quede asegurada, el anónimo autor cuida de explicitar que Lázaro ha tenido grandes maestros del arte de contar y de crear ficciones verbales. Ante todo, el ciego, quien «con tanta gracia y donaire» recontaba las hazañas de Lazarillo que, recordándolo, Lázaro reconoce: «aunque yo estaba tan maltratado y llorando, me parescía que hacía sinjusticia en no se las reír». Más tarde, el hidalgo, capaz de hacerse con las mujeres «un Macías, diciéndoles más dulzuras que Ovidio escribió». Y el buldero, que «aprovechábase de un gentil y bien cortado romance y desenvoltísima lengua». Se comprende, así, que el pregonero toledano tenga tan buen éxito profesional, y se justifica, a la par, su brillantez como pregonero de su propia vida.

Queda ya apuntada la razón funcional de la carta que se pone a escribir. Se la ha solicitado un gran señor —«Y pues Vuestra Merced escribe se le escriba»— para conocer con detalle los avatares de su vida. El Renacimiento había traído consigo un gran incremento del cultivo del género epistolar. Se publicaron muy pronto en España «Manuales para escribir cartas mensajeras», en los que, junto a normas y modelos de cartas «graves» para las más diversas situaciones y motivos, figuraban, también, cartas «ociosas» en las que los cortesanos ejercitaban el ingenio. El estilo narrativo de estas últimas —pienso, por ejemplo, en las del protomédico Villalobos— presagian muy de cerca el relato de Lázaro, y no faltan, incluso, conatos de relación autobiográfica, como la que en el *Manual* de Gaspar de Tejeda (1547) se recoge, «Graciosa de un señor muy cansado en que haze residencia de su vida a uno que se la pidió...».

Subrayo esta referencia al cultivo del género epistolar, ocioso o jocoso, no sólo porque en sus colecciones hallemos cantidad de materiales —dichos, facecias y fórmulas— que reaparecen en el LAZARILLO, sino porque entiendo que, a fuerza de *ahondar* en éste, hemos perdido todos un poco de vista que se trata de un libro jocoso, aunque, al tiempo, nos haga pensar y llorar; que es una carta más que viene a insertarse en esa crecida corriente que, en el ámbito de la cortesanía, llevaba y traía burlas y donaires bien arrebozados. Como tal lo leyeron los coetáneos, según prueban los testimonios de fray José de Sigüenza, que admira en él «el singular artificio y donaire», o del humanista Bartolomé Jiménez Patón, quien lo clasifica entre los «librillos de entretenimiento y donaire», o, en fin y por no alargar la lista, de López de Úbeda, el cual, en la genealogía de su *Pícara Justina,* reseña las «simplezas de Lázaro».

Claro que en lo que a la forma literaria se refiere, de este tipo de cartas a la novela restaba un gran trecho. Y ése es el que genialmente va a recorrer, en pocas páginas, el genial autor anónimo.

ESTRUCTURA DEL RELATO

En un magistral estudio sobre la estructura del LAZARILLO señala Fernando Lázaro Carreter (1972) la tensión que en la obra generan dos modos de narrativa. La narrativa medieval no conocía más que la composición por el simple *ensartado* de sucesos, anécdotas o facecias de un protagonista. El autor anónimo comienza por sorprendernos con la novedad de abordar en detalle el período de infancia, hasta entonces siempre sobrevolado en las narraciones. Pero, lo que es más decisivamente revolucionario, va imbricando mediante repeticiones, convergencias, oposiciones y simetrías, elementos de las distintas etapas de la vida, lo que hace que a nuestros ojos se vaya construyendo —y en eso consiste la novela— la memoria del vivir de un hombre. Acontece esto en los tres primeros tratados. Cuando entramos en el IV, añade F. Lázaro Carreter, advertimos que se ha producido un cambio de composición: «al agotarse el tema del hambre y la gradación que vertebra los tres primeros capítulos, una especie de fatiga o impotencia creadora parece adueñarse del autor». Pero como «necesita equilibrar el texto con algunos episodios más, para conseguir una transición aceptable que conduzca al desenlace, al deshonor conyugal de Lázaro», siempre según la interpretación de nuestro crítico, el autor aboceta varios episodios más y los *ensarta* al modo de la narración folclórica. Sólo al llegar al tratado VII se recobra el pulso narrativo de los tres primeros y, con los cierres simétricos, retornamos a lo propiamente novelístico.

Aun admitiendo una objetiva desigualdad en el tratamiento narrativo del asentamiento con diversos amos —no tienen nada que ver la enjuta mención del sexto, el maestro de pintar panderos, ni, por intencionada que sea en su apretada brevedad, la del cuarto, el fraile de la

Merced, con la riqueza del relato en sus primeras etapas—, y por más que pudiera resultar comprensible el titubeo del autor del LAZARILLO en la transición de los moldes de la narración folclórica a nuevos esquemas de narración, no estoy convencido de que exista en la novela el hiato que denuncia el admirado maestro Lázaro Carreter.

Diré, ante todo, que, con toda seguridad la división y titulación de tratados, tal como hoy la vemos, no se debe al autor sino, cosa muy frecuente en la época, al editor. Y no lo digo sólo pensando en la diferente extensión, ya que son muchas las obras del siglo XVI que mezclan capítulos de longitud diversa, sino atendiendo, sobre todo, a la concentración, en un mismo apartado, de materia narrativa heterogénea, lo que implica una palmaria inadecuación del título. Basta comparar a este propósito el título del VII —«Cómo Lázaro se asentó con un alguacil y de lo que le acaesció con él»— con su contenido real: asentamiento con el alguacil (sólo seis líneas); consecución del oficio de pregonero; éxitos en la actuación como tal; matrimonio; rumores populares; escena familiar; etc. Incluso el título general del libro —erróneo, puesto que no se trata de la vida de Lazarillo sino de Lázaro— se le debe al editor. En orden a determinar la estructura de la obra, debemos, pues, prescindir de la actual división y atender a las marcas lingüísticas que constituyen las verdaderas articulaciones.

En mi lectura, el LAZARILLO está construido, siguiendo la «ley del tres», propia de la narrativa folclórica, con la repetición de tres módulos ternarios. He aquí su esquema:

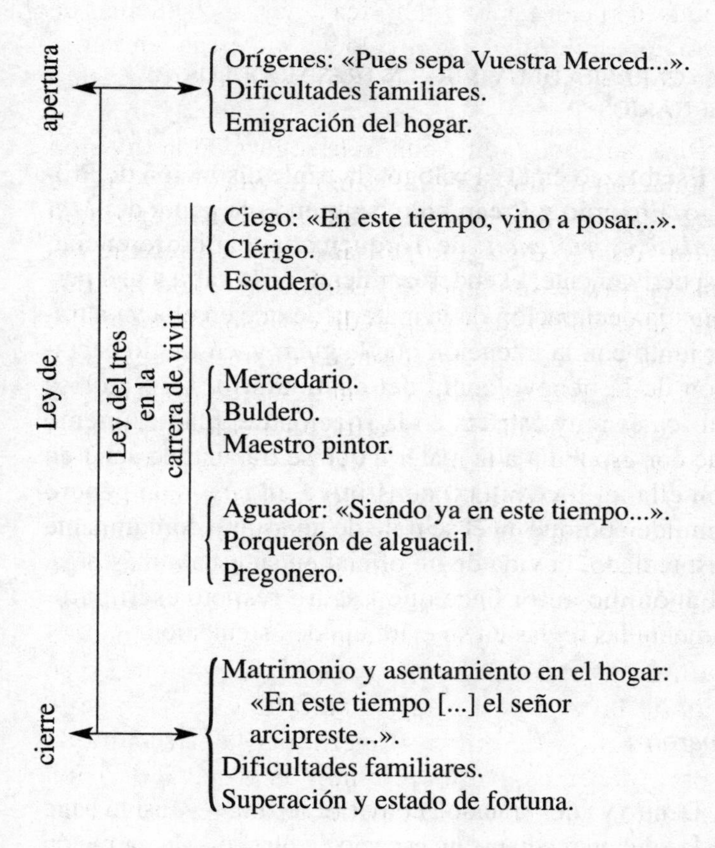

Planteada la lectura sobre este esquema, se relativiza la objeción de desigual extensión de los episodios narrados. No puede, por lo demás, perderse de vista que en toda narración extensa se mezclan casi siempre relatos extensos y lo que Genette llama «sumarios» elípticos. El fraile de la Merced y el capellán del Tratado VI que ni trabaja ni cobra los sábados, son aludidos sumariamente.

LA «CARRERA DEL VIVIR» EN TRES MÓDULOS TERNARIOS

Establezco en el «Prólogo» la triple distinción de Prólogo, Proemio y Preámbulo, siguiendo la pauta del *Manual de escribientes,* de Torquemada, para diferenciar, respectivamente, el enderezamiento de la carta a una persona; la declaración de la materia de que en ella va a tratar junto con la intención que le guía; y, en fin, la captación de la benevolencia del destinatario. La Retórica clásica es muy estricta en la fijación del planteamiento que correspondía a la materia que se trataba: de acuerdo con ella, el LAZARILLO constituye un *caso* «de género humilde» porque en él se trata de un asunto comúnmente despreciado, la vida de un oficial en su escala más baja. El anónimo autor hace que Lázaro respete escrupulosamente las reglas en su ejercicio de ostentación.

Apertura

Dentro ya del Tratado I conviene separar —y así lo hago en la edición mediante un espacio en blanco— la narración de los orígenes, dificultades hogareñas y emigración del hogar, de otra parte en la que, con la articulación expresa de la fórmula «En este tiempo, vino a posar...», se inicia la descripción de la carrera del vivir. Saltan a la vista las simetrías de esa primera parte con el cierre del tratado VII: si el padre «padesció persecución por justicia», el hijo acompañará como pregonero a «los que padecen persecución por justicia»; como la madre que «determinó arrimarse a los buenos» y acabó amancebada con un negro. Lázaro «determinó arrimarse a los buenos» y se casa con una manceba...

Primer módulo: ciego, clérigo, escudero

Como he dicho, la trabazón interna del primer módulo ternario —ciego, clérigo, escudero— es muy intensa. El ciego enseña a Lazarillo a ayudar a misa, con lo que le facilita la entrada al servicio del clérigo; pero, apenas conoce a su segundo amo, el muchacho se da cuenta de que ha escapado del trueno para dar en el relámpago. En efecto, las comidas a base de buenos pedazos de pan, torreznos y longaniza han cedido el paso a platos de huesos roídos, a un bodigo de excepción, a escasas migas ratonadas. Y la dificultad para remediar el hambre crece: si al ciego todavía podía «cegarle», el clérigo tiene vista agudísima; por ello, mientras a aquél era capaz de asirle blancas, transmutándoselas en medias blancas, con éste ha de reconocer: «no era yo señor de asirle una». El primer amo le mandaba por vino; al segundo, «de la taberna —dice— nunca le traje una blanca de vino». Una tupida red de simetrías, que no desarrollo, emparenta, también, los episodios del fardel del ciego y del arcaz del cura.

Aunque en Maqueda lo pasa mal, el pobre muchacho piensa: «Yo he tenido dos amos; el primero traíame muerto de hambre, y, dejándole, topé con estotro, que me tiene ya con ella en la sepultura; pues si déste desisto y doy en otro más bajo, ¿qué será sino fenescer?». Apenas descubre, ya en el Tratado III, la absoluta indigencia del hidalgo, recuerda Lázaro: «allí se me vino a la memoria la consideración que hacía cuando me pensaba ir del clérigo...». Alababa, falsamente, el cura la continencia en el comer y lo mismo hace ahora el escudero. Un eco de las presuntuosas palabras del cura, «Toma, come, triunfa, que para ti es el mundo. Mejor vida tienes que el Papa», se advierte en estas otras del hidalgo: «comamos hoy como condes». Eran muy viejos los muebles de la casa del clérigo y contadísimos los alimentos que en ella se encontraban, pero en la del escudero no hay más que paredes...

En resumen, del Tratado I al III las posibilidades de los amos van decreciendo —*más* el ciego; *menos* el clérigo; *nada* el escudero— y, paralelamente, desciende el punto de mira de los objetivos inmediatos de Lazarillo: con el primer amo se muere por el vino; con el segundo, «de sed no era su congoja»; el tercero ya no puede proporcionarle ni pan ni vino, y ha de ser él quien le ayude. La crítica ha señalado el hambre como vector semántico principal de todo el módulo. Y lo es, mas sólo en cuanto cataliza las crecientes dificultades con que el protagonista ha de enfrentarse en la lucha por la existencia. Porque los episodios no constituyen sino el cañamazo sobre el que Lázaro teje el discurso de ostentación de su vida: admirad —viene a decir— mi capacidad de resistencia, mi astucia para remediarme, mi sagacidad para descubrir la realidad que se encubre bajo las brillantes apariencias de personas y cosas.

Diríase que al final del Tratado III Lázaro ha tocado fondo. Dicen, de hecho, muchos críticos que en ese momento está ya totalmente formado. Y, sin embargo, aún le queda no poco que sufrir y bastante que aprender. Lo que equivale a sostener que todavía aprovechará más recursos al servicio de su ostentación.

Segundo módulo: fraile de la Merced, buldero, maestro de pintar panderos

Se abre el segundo módulo ternario con el servicio al fraile de la Merced. Va a ser éste el encargado de iniciar a Lázaro en el erotismo. Marcel Bataillon veía en la expresión «cosillas que no digo», que, junto con otras explícitas, mueven a Lazarillo a dejar al fraile, una insinuación de lo peor. Pero es el entero episodio el que está aludiendo a claves eróticas: *zapatos* y *calzar* tienen una significación erótica de larga tradición que llega hasta hoy; Quevedo, por ejemplo, habla de «maridos calzadores, que los meten para calzarse la mujer con más descanso». Y lo mismo, *trote.* Por lo que hace a las *cosillas,* baste recordar el villancico de Pedro Manuel de Urrea: «Viuda huelga en Zaragoza / más que casada ni moza; / cada cual dellas retoza / con mil cosillas que sé». El Tratado IV viene, según eso, a decir que el mercedario desvirgaba él solo más mozas que toda su comunidad junta, y que él fue quien facilitó a Lázaro las primeras oportunidades de este tipo: tantas, que no pudo con tanto trote, y que por ello, y por las *cosillas* que se calla, le dejó.

No precisa glosa especial el Tratado V, tan claro en su denuncia del negocio de las bulas. En el VI, en cambio, nos encontramos con una concurrencia de módulos. Es claro que el maestro de pintar panderos pertenece, junto al mercedario y el buldero, al segundo. No hemos descubierto aún la clave de su significación, de seguro ligada a algún dicho o idea generalizada de su función social: bastaría, según ello, que Lázaro lo mencionara para que el lector, o los oyentes, reconstruyeran con detalle los «mil males» aludidos. Y ahí mismo, a renglón seguido, nos topamos otra vez con la fórmula «Siendo ya en este tiempo buen mozuelo...», que indica un nuevo tiempo en la dialéctica narrativa.

Tercer módulo: aguador, porquerón, pregonero

En efecto, en el tercer módulo Lázaro ya no es un mozo de servicio sino un trabajador. Hasta ese momento no ha subido; ahora comienza a hacerlo: «éste fue el primer escalón que yo subí para venir a alcanzar buena vida», dice refiriéndose al oficio de aguador. Nada extraño que, para subir más, haga lo que Nestorio recomendaba a Harpalo: vestirse ropa de fustán comprada en el ropavejero y colgar espada, por más que orinada. Pasar de aguador a porquerón de alguacil significaba, en la convención social del siglo XVI, un ascenso. Y mucho más de porquerón a pregonero. Se ha insistido con exceso en que era este último un oficio público, sí, pero reservado sobre todo a moriscos. Había, sin embargo, en Toledo dos clases de pregoneros, y los mayores, a cuyo grupo pertenecía Lázaro, necesitaban el aval de personas principales y un depósito económico: dentro, pues, de la limitación, sin duda constituía un ascenso.

Cierre

Como ya he apuntado, en el Tratado VII se produce una yuxtaposición de tiempos dialécticos del relato, análoga a la del I y simétrica con ella.

Con la llegada de Lázaro, en sucesivos ascensos, a la cima del éxito profesional, se cierran los tres módulos ternarios que describen la carrera del vivir. Pero Lázaro, no lo olvidemos, continúa siendo un emigrado del hogar; falta aún por cerrar, en simetría, la primera parte del Tratado I. No es casual que tornemos a encontrarnos con la consabida fórmula: «en este tiempo, viendo mi habilidad...». A partir de ese punto, el matrimonio resuelve la condición de solitario vagabundo, y las dificultades matrimoniales reproducen, en eco, las de la madre que se arrima al negro. Como quiera que el objetivo básico del escrito de Lázaro es la ostentación de su éxito de vida, todo ello está narrado desde la perspectiva de quien ha superado los más arduos obstáculos.

Por eso podrá Lázaro poner a su carta de relación la data solemne utilizada en los documentos importantes: «Esto fue el mesmo año que nuestro victorioso emperador en esta insigne ciudad de Toledo entró y tuvo en ella Cortes...». Todo acaba así de la manera feliz que las leyes del relato folclórico imponen. Lo que no obsta, por paradójico que pueda parecer —y de ello hablaré en seguida—, a la absoluta modernidad del relato.

LA MODERNIDAD IDEOLÓGICA

En la parte proemial del «Prólogo» declara Lázaro como intención de su escrito el «que se tenga entera noticia de mi persona, y también porque consideren los que heredaron nobles estados cuan poco se les debe, pues Fortuna fue con ellos parcial, y cuánto más hicieron los que, siéndoles contraria, con fuerza y maña remando, salieron a buen puerto». Poco más adelante, adentrado ya en la narración, torna a decir: «Huelgo de contar a Vuestra Merced estas niñerías, para mostrar cuánta virtud sea saber los hombres subir siendo bajos, y dejarse bajar siendo altos cuánto vicio».

Nobles estados, altos, bajos, subir, bajar. Fortuna parcial o contraria: he ahí las palabras claves con que, al filo de la Modernidad, se tejen y destejen en España innumerables controversias. En concreto, la que, como en eco de la edad clásica, discute sobre la verdadera nobleza: ¿quién es más noble, el que la hereda por la vía de la sangre o el que la conquista mediante el ejercicio del valor y de la sabiduría? Si proyectamos el LAZARILLO sobre ese esquema de fondo, comprobamos que lo que Lázaro ostenta es una contrahechura de los medios predicados para conseguir honra: frente al valor y la sabiduría, la fuerza y la maña («con fuerza y maña remando salir a buen puerto»). El valor no es en él arrojo que alienta en la conquista y resplandece en la victoria, sino fuerza como *aguante;* en tal sentido, Lázaro triunfa porque *soporta* pesquisiciones, trompazos, hambre. Y en lo que respecta a la sabiduría, de lo que él se alaba específicamente es de la «habilidad y buenas mañas».

Y bien, ¿cuál puede ser el sentido último de esa contrahechura? Situándolo en el marco referencial de la polémica, propone F. Rico tres posibilidades de lectura. Las dos primeras, más impostadas, diríamos, sobre la perspectiva del anónimo autor real, responderían a sendas interpretaciones hechas por los innovadores y por los tradicionalistas. Pueden aquéllos argumentar: «Lázaro, diga él lo que quiera, no ha subido y en su relato no hay parodia posible, ya que, en definitiva, ha venido a probar que sólo la virtud eleva de verdad a los hombres». Concordes en que el pícaro no se ha ennoblecido, los conservadores buscarán la raíz de ello en la insuperable herencia de la sangre: la pretensión de mudar de estamento es intrínsecamente pecaminosa. Pero queda una tercera lectura, desde la perspectiva del pregonero: «que Lázaro sí haya subido; que para un pobrete como él dejar el hambre de los caminos por la modesta "prosperidad" de un oficio real signifique efectivamente un progreso», porque —y aquí radica el fermento de modernidad— «no hay valores, hay vidas, y lo que sirve para una, tal vez es inútil para otra» (Rico, 1972).

Según esta última lectura, que prefiero, el LAZARILLO no sería ni una parodia de la literatura *de nobilitate,* ni argumento a favor o en contra de las partes en ella contendientes, ni contestación frontal. La novela sería, tan sólo, un testimonio marginal de la inutilidad de la polémica, mero reflejo de la patología colectiva de honra que inficiona el siglo XVI español. Y también en eso sería, por contraste, absolutamente moderno.

¿UN LIBRO HETERODOXO?

Son muchos los críticos que, en distintas direcciones de la heterodoxia hispánica de aquella época, buscan la clave del LAZARILLO en el erasmismo, en las corrientes de los alumbrados o en la paternidad de un autor converso.

Remito al lector interesado a las abundantes páginas que en mi *Nueva lectura...* he dedicado al problema. Diré aquí, en resumen, que el concepto utilitario y nada trascendente de Dios que Lázaro revela en sus actitudes y en sus palabras no difiere de la religiosidad común, tal como ésta se manifiesta en obras coetáneas para nada sospechosas de heterodoxia. Por lo que hace a la parodia de la Eucaristía, que se construye, con el episodio del arcaz-sagrario, en el Tratado II, conviene tener en cuenta que el pueblo del siglo XVI estaba muy habituado a la alegorización de textos sacros y, por fuerza de la propia sobrecarga religiosa de la cultura popular, propendía a establecer en seguida la relación de un hecho o situación con Cristo y la liturgia cristiana.

A nadie escandalizaba, por ejemplo, que en una comedia —valga la *Tinellaria,* de Torres Naharro— se hiciera la parodia del «Domine, non sum dignus» y otras oraciones que el sacerdote recitaba durante la comunión de la misa. He aquí el «edificante» diálogo de dos criados de un cardenal en su bodega: «—Escalco: Bebe, sus, que no hay tal cosa.—Canavario: Tú, Señor me redemiste / por la tu sangre preciosa; / no soy digno de beber agua sin vino / por amor qu'es de la fragua; / mas por tu verbo divino / beberé vino sin agua».

En ese contexto de sociología cultural los vestigios de posible heterodoxia del LAZARILLO se diluyen. Y lo propio cabe afirmar de su anticlericalismo. Marcel Bataillon, autor, como es sabido, del monumental estudio sobre *Erasmo y España,* aseguraba que si el autor del LAZARILLO era personalmente erasmista, lo disimuló muy bien. Ni las ácidas críticas del clero —ninguna de ellas dirigida contra el alto clero, blanco preferido de la heterodoxia—

ni la corrosiva denuncia de las trapacerías de las bulas rebasan lo que en sínodos, memoriales conciliares y púlpitos se repetía a cada paso.

En suma, Lázaro y el LAZARILLO se mueven en la órbita de la religiosidad común del siglo XVI español, tan incoherente y mezclada de impurezas. Con razón el propio Lázaro confiesa «no ser más sancto» que sus vecinos.

PERSPECTIVISMO Y ARTE LITERARIO

No deja de resultar sospechoso que un adagio programático de la escritura literaria, tan clásico como el *delectare et prodesse* —deleitar y aprovechar o deleitar aprovechando—, se convierta en boca de Lázaro, a la hora de declarar sus objetivos, en *agradar* y *deleitar:* «podría ser que alguno que las lea [sus cosas] halle algo que le *agrade,* y a los que no ahondaren tanto los *deleite*» («Prólogo»). Como en respuesta a ese guiño, los lectores del Siglo de Oro vieron el LAZARILLO —ya queda dicho— como un libro regocijante. Y sin duda el regocijo fue mayor en los oyentes, dado que esta «epístola *hablada*» gana en su recitación oral: su disposición retórica es la de un cuento narrado en alta voz, con lo que el anónimo autor real se acopla ceñidamente a la preparación del autor fingido, el pregonero, formado en la escuela de hábiles narradores populares.

No quiero con esto negar cualquier significación trascendente a una obra que tanto inquietó y desasosegó a la par. ¿Podrá encontrarse una vía intermedia que nos evite naufragar en uno de estos dos escollos extremosos: leer el LAZARILLO como mero juego o reducirlo todo a un rosario de críticas ideológicas y sociales?

Pienso que sí, que hay una clave última, raíz y fruto, al mismo tiempo, de la absoluta modernidad del libro: el *perspectivismo.* Era la gran conquista cultural y estética del Renacimiento. Anota Panofsky que el término *perspectiva* está filológicamente vinculado a *perspicere,* en su significación de ver claramente. Cuando, de la mano del ciego, Lazarillo se pone en la carrera del vivir, tras el topetazo con el toro de piedra, exclama: «cumple *avivar el ojo* y avisar, pues solo soy». Con perspicacia cada día creciente, Lazarillo va descubriendo el engaño a los ojos en las más diversas áreas sociales y en los valores que la convención de una sociedad hipócrita sostenía como más elevados. Pero en la configuración de su corrosiva visión del mundo incide otro factor: la cambiante posición de Lázaro como marginado social, como «outsider». En paradójica dicotomía, ese Lazarillo que, a fin de subsistir, se adapta e integra más y más en las convenciones de la sociedad, se va haciendo, de manera paralela, el Lázaro que se distancia interiormente, cada vez más, de ella.

Cuando llega a la cumbre de toda buena fortuna, es un personaje dividido, más, absolutamente irisado en ambigüedad. En ese punto el genial autor anónimo hace que, merced a un nuevo superior distanciamiento, quien rompa a hablar para pregonar su vida no sea Lázaro González Pérez, sino un ficticio Lázaro de Tormes, el cual lo hace desde una determinada perspectiva. Lo que su *novella vista* va captando desde ella y lo que comunica es todo ambiguo: un protagonista que se mueve siempre en medio de gente, sin apenas espacio físico de aislamiento para la intimidad, y, en cambio, aislado; que aparece como los demás, sin serlo; un personaje en cierto modo anamórfico, que, reclamado de continuo a la acción por la subsistencia y capaz de las mayores vilezas en su defensa, se convierte en filósofo y juez de cuanto acontece; que avasalla toda la circunstancia, hasta el punto de que las cosas sólo tienen existencia en y por él, y que es producto de una realidad que se independiza de él y se le muestra hostil. Todo, según se mire.

En este sentido no es casual que el último oficio de Lázaro sea el de pregonero, y una de las geniales habilidades del anónimo autor consistió en ocultar ese dato hasta el final de la novelita. Si el lector supiera de entrada que el que comunica su vida y andanzas era un pregonero, recelaría de que, como repetían mil adagios en la época, le diera agua por vino; en efecto, la catadura moral de quienes pregonaban los delitos y acompañaban a los condenados era con frecuencia asimilada a los de éstos. Pero el lector sólo se percatará al cabo de la obra de tan relativizadora situación; y a partir de ahí, retroactivamente, proyectará sobre su lectura un radical interrogante.

Este radical perspectivismo se realiza en una expresión lingüística que, a fuerza de perseguir de continuo la ambigüedad por todas las vías posibles de la ironía y el humor, llega hasta a disipar el sentido. Imposible resumir aquí, siquiera, los innumerables recursos de ironía situacional y verbal, de la ironía que se agazapa en el eufemismo o de la que crea ricas transposiciones metafóricas. Por aducir un solo ejemplo de este último apartado, evocaría el episodio de las uvas, donde lo que se había planteado como pacto de caballeros —*banquete, liberalidad, concierto*— se trueca, por la magia de la palabra, en un duelo de fulleros: «hecho así el concierto, comenzamos; mas luego al segundo *lance,* el traidor mudó el propósito... Como vi que *quebraba la postura,* no me contenté ir a la par dél». En la expresión humorística de Lázaro las cosas se transfiguran: un colchón aparece *hambriento,* como *avariento* se muestra un fardel, y el arcaz del clérigo, también personificado, se convierte en un guerrero enemigo que «luego se me rindió y consintió en su costado».

El anónimo autor del LAZARILLO moldea la expresión lingüística de Lázaro sobre la pauta de la Retórica de Quintiliano, y pone así en su boca un discurso no *rústico* sino *urbano,* «cum gratia quadam et venere» —gracioso y con donaire—, y, en fin, *salsus,* «a fin de que la sal nos produzca sed de escuchar». De ahí ese aprovechamiento lúdico del lenguaje —«al cabo *carga* un porquerón con el *viejo* alfamar de la *vieja,* aunque no iba muy *cargado»; «finalmente,* yo *me finaba* de hambre»—, que, insisto, cobra especial relieve en una recitación oral en alta voz.

UN LIBRO ABSOLUTAMENTE MODERNO

La traducción que Boscán hace de *El cortesano* (1534), de Baltasar de Castiglione, demuestra que los hábitos de cortesanía —entre ellos, de manera muy destacada, ese divertirse «con dulce burla, cortesanía y palabras»— habían rebasado con mucho el ámbito de cortes y palacios. De un lado a otro iban y venían cuentos y facecias, y la desenvoltura y los juegos lingüísticos se convertían en una moda extendida por toda Europa. Nuestro LAZARILLO viene a inscribirse en esa ancha corriente literaria por el cauce genérico epistolar. Muchos de los episodios tienen un origen folclórico y provienen de ese acervo común: el topetazo con el toro de piedra, el reparto de las uvas, la anécdota de la casa lóbrega y oscura, la trampa del buldero... Y bastantes más. Francisco Rico sospechaba, en un escrito reciente, que el matrimonio del pregonero con una mujer que «había parido tres veces» debía andar prefigurado en proverbios, ya que Gonzalo de Correas recoge el refrán «En Toledo, no te cases, compañero: no te darán casa ni viña, mas darte han mujer preñada o parida». Pues bien, puedo ahora añadir que en la *Sylva* de Zaragoza (1550) se encuentra esta pieza: «Bien se pensaba la reina / que buena hija tenía / que del conde don Galván / *tres veces parido había»:* exactamente, como la mujer de Lázaro.

A contrapunto de otra moda, denunciada, como he dicho, por Erasmo en su coloquio «Nobleza fingida» —la de fingir cartas en demanda de noticias de la propia vida, a fin de conseguir honra—, un anónimo humanista español introduce a su criatura, el pobre Lázaro González Pérez, en el mundo de la cortesanía, convirtiéndolo para ello en el donoso hablador que presenta y recita su carta autobiográfica en demanda de honra.

No le faltaban al anónimo autor modelos parciales. Alberto Blecua ha señalado oportunamente el *Baldo* castellano (Sevilla, 1542) y Vilanova ha rastreado minuciosamente las huellas de Apuleyo y su *Asno de oro.* Son los precedentes más notables a los que se añaden otros muchos más puntuales. Pero nada de esto recorta la genialidad y la radical novedad del LAZARILLO como avanzada de la novela moderna y como obra de arte del lenguaje. Porque aquí todo gravita sobre la palabra. La palabra de Lázaro transfigura en arte lo que es realidad histórica de la vida del siglo XVI español. Y, de manera inversa, esa misma palabra convierte en vida palpable y real lo que era común folclore literario, narrativo o representable, de pueblos y siglos.

Por eso el LAZARILLO es un libro absolutamente moderno.

VÍCTOR GARCÍA DE LA CONCHA

BIBLIOGRAFÍA

Un repertorio completo de estudios sobre la picaresca en general y sobre el *Lazarillo* ofrece:

LAURENTI, Joseph L., *Bibliografía de la literatura picaresca. Desde sus orígenes hasta el presente,* Metuchen (Nueva Jersey), 1973, y Nueva York, 1981[2].
Catálogo bibliográfico de la literatura picaresca.

SELECCIONO AQUÍ ALGUNOS ESTUDIOS BÁSICOS

BATAILLON, Marcel, *Novedad y fecundidad del «Lazarillo de Tormes»,* Salamanca, Anaya, 1968.

BLECUA, Alberto, «Libros de caballerías, latín macarrónico y novela picaresca: la adaptación castellana del *Baldus* (Sevilla, 1542)», en *Boletín de la Real Academia de Buenas Letras de Barcelona,* XXXIV (1971-1972), págs. 147-239.

—, «Introducción» y notas a la edición del *Lazarillo,* Madrid, Castalia, 1972.

CASO GONZÁLEZ, José, Edición del *Lazarillo,* Madrid, Anejos del BRAE, 1967.

—, «La primera edición del *Lazarillo de Tormes* y su relación con los textos de 1554», en *Studia Hispánica in Honorem R. Lapesa,* Madrid, Gredos, 1972, págs. 189-206.

CROSS, Edmond, *Lecture ideologique de «Lazarillo de Tormes»*, Montpellier, 1984.

FRENK, Margit, «Tiempo y narrador en el *Lazarillo* —(Episodio del ciego)», en *Nueva Revista de Filología Hispánica,* XXIV (1975), págs. 197-218.

GARCÍA DE LA CONCHA, Víctor, *Nueva lectura del «Lazarillo». El deleite de la perspectiva,* Madrid, Castalia, 1981.

—, *Lazarillo de Tormes. Actas de la VIII Academia Literaria Renacentista,* Salamanca, en prensa. Incluye, entre otros, los últimos estudios de Lázaro Carreter, Molho, Guillén, Ruffinatto, Rico Bustos, y del propio García de la Concha.

GUILLÉN, Claudio, «La disposición temporal del *Lazarillo de Tormes,* en *Hispanic Review,* XXV (1957), págs. 264-279.

—, *Literature as System,* Princeton, 1971, págs. 71-106, 142-155.

LÁZARO CARRETER, Fernando, *Lazarillo de Tormes en la picaresca,* Barcelona, Crítica, 1983[2].

MARAVALL, José Antonio, *La literatura picaresca desde la historia social,* Madrid, Taurus, 1986.

MÁRQUEZ VILLANUEVA, Francisco, «La actitud espiritual del *Lazarillo de Tormes,* en *Espiritualidad y literatura en el siglo XVI,* Madrid, Alfaguara, 1968, págs. 67-137.

MOLHO, Mauricio, *Introducción al pensamiento picaresco,* Salamanca, Anaya, 1972.

—, «Nota al Tratado VI de *La vida de Lazarillo de Tormes»,* en *Homenaje a José Antonio Maravall,* vol. III, Madrid, 1985, págs. 77-80.

REDONDO, Agustín, «Folklore y literatura en el *Lazarillo de Tormes:* un planteamiento nuevo (El “caso” de los tres primeros tratados)», en *Mitos, folklore y literatura,* ed. de Aurora Egido, Zaragoza. Publicaciones de la Campzar, 1986.

RICO, Francisco, *La novela picaresca y el punto de vista,* Barcelona, Planeta, 1973[2].

—, «Introducción» y notas a la edición del *Lazarillo,* Barcelona, Planeta, 1980; Madrid, Cátedra, 1987.

RUFFINATTO, Aldo, *Struttura e significazione del «Lazarillo de Tormes».* I. *La costruzione del modelo operativo. Dall'intreccio alla fabula.* II. *La «fábula», il modello transformazionale,* Turín, 1975 y 1977.

SIEBER, Harry, *Language and society in «La vida de Lazarillo de Tormes»,* Baltimore y Londres, 1978.

VILANOVA, ANTONIO, «Fuentes erasmianas del escudero del *Lazarillo»* en *Serta Philologica F. Lázaro Carreter,* II, Madrid, 1983, págs. 557-587.

—, «Lázaro de Tormes, pregonero y biógrafo de sí mismo», en *Symposium in honorem M. de Riquer,* Barcelona, 1986, págs. 417-461.

BIBLIOGRAFÍA SUBSIDIARIA

Autoridades: Diccionario de la lengua castellana, en que se explica el verdadero sentido de las voces, en naturaleza y calidad, con las frases o modos de hablar, los proverbios o refranes y otras cosas convenientes al uso de la lengua, 6 vols. (Madrid, 1726-1739); ed. facsímil, Madrid, 3 vols. 1963-1964.

CORREAS, Gonzalo de, *Vocabulario de refranes y frases proverbiales,* ed. de L. Combet, Burdeos, 1967.

COVARRUBIAS, Sebastian de, *Tesoro de la lengua castellana o española,* ed. de Martín de Riquer, Barcelona, 1943.

LA VIDA DE LAZARILLO DE TORMES, Y DE SUS FORTUNAS Y ADVERSIDADES

¶ La vida de Lazarillo
de Tormes: y de sus
fortunas y aduer
sidades.

1554

PRÓLOGO

Yo por bien tengo que cosas tan señaladas y por ventura nunca oídas ni vistas, vengan a noticia de muchos y no se entierren en la sepultura del olvido, pues podría ser que alguno que las lea halle algo que le agrade, y a los que no ahondaren tanto los deleite. Y a este propósito dice Plinio [1] que *no hay libro, por malo que sea, que no tenga alguna cosa buena.* Mayormente, que los gustos no son todos unos, mas lo que uno no come, otro se pierde por ello; y así vemos cosas tenidas en poco de algunos que de otros no lo son. Y esto para [2] que ninguna cosa se debría romper ni echar a mal, si muy detestable no fuese, sino que a todos se comunicase, mayormente siendo sin perjuicio y pudiendo sacar de ella algún fructo; porque, si así no fuese, muy pocos escribirían para uno solo, pues no se hace sin trabajo, y quieren, ya que lo pasan, ser recompensados, no con dineros, mas con que vean y lean sus obras y, si

---

1 *Plinio:* Plinio el joven, en sus *Epístolas* III, v. 10.
2 *para* del verbo *parar:* con el sentido de *lleva aparejado o hace.*

hay de qué, se las alaben. Y a este propósito dice Tulio: *La honra cría las artes*[3].

¿Quién piensa que el soldado que es primero del escala tiene más aborrescido el vivir? No por cierto; mas el deseo de alabanza le hace ponerse al peligro; y, así, en las artes y letras es lo mesmo. Predica muy bien el presentado[4] y es hombre que desea mucho el provecho de las ánimas; mas pregunten a su merced si le pesa cuando le dicen: «¡Oh, qué maravillosamente lo ha hecho vuestra reverencia!». Justó[5] muy ruinmente el señor don Fulano, y dio el sayete de armas al truhán[6] porque le loaba de haber llevado muy buenas lanzas: ¿qué hiciera si fuera verdad?

Y todo va desta manera: que, confesando yo no ser más sancto que mis vecinos, desta nonada que en este grosero estilo escribo, no me pesará que hayan parte y se huelguen con ello todos los que en ella algún gusto hallaren, y vean que vive un hombre con tantas fortunas[7], peligros y adversidades.

Suplico a Vuestra Merced reciba el pobre servicio de mano de quien lo hiciera más rico, si su poder y deseo se conformaran. Y pues Vuestra Merced escribe se le escriba y relate el caso muy por extenso, parescióme no to-

---

[3] *Tulio:* Marco Tulio Cicerón en *Tusculanas* I, 2.4.

[4] *presentado:* clérigo que ha concluido los estudios universitarios eclesiásticos y está en espera de que le confieran el grado de maestro.

[5] *justó:* participó en una *justa,* pelea o combate singular, a caballo y con lanza.

[6] *dio el sayete de armas al truhán:* se llamaba *sayete* al jubón que se vestía debajo de la cota o malta de hierro. Era costumbre antigua que los caballeros participantes en torneos regalaran sus vestidos a los bufones palaciegos. *Covarrubias* define al truhán como «el chocarrero o burlón, hombre sin vergüenza, sin honra y sin respeto».

[7] *fortunas:* desgracias.

malle por el medio, sino del principio [8], porque se tenga entera noticia de mi persona; y también porque consideren los que heredaron nobles estados cuan poco se les debe, pues Fortuna fue con ellos parcial, y cuánto más hicieron los que, siéndoles contraria, con fuerza y maña [9] remando, salieron a buen puerto.

---

[8] *no tomalle por el medio, sino del principio:* la Retórica permitía comenzar una narración partiendo de un suceso intermedio destacado o, incluso, del final; el pregonero toledano prefiere una narración lineal de su vida.

[9] *fuerza y maña:* recuérdese la intención paródica apuntada en la Introducción.

TRACTADO PRIMERO

CUENTA LÁZARO SU VIDA Y CÚYO HIJO FUE

Pues sepa Vuestra Merced, ante todas cosas, que a mí llaman Lázaro de Tormes [1], hijo de Tomé González y de Antona Pérez, naturales de Tejares, aldea de Salamanca. Mi nascimiento fue dentro del río Tormes, por la cual causa tomé el sobrenombre; y fue desta manera: mi padre, que Dios perdone, tenía cargo de proveer una molienda de una azeña que está ribera de aquel río, en la cual fue molinero más de quince años; y estando mi madre una noche en la azeña, preñada de mí, tomole el parto y pariome allí; de manera que con verdad me puedo decir nascido en el río.

Pues siendo yo niño de ocho años, achacaron a mi padre ciertas sangrías mal hechas en los costales de los que allí a moler venían, por lo cual fue preso, y confesó y no negó [2],

---

[1] *a mí llaman Lázaro de Tormes:* recuérdese el consejo que, en el Coloquio de Erasmo da Nestorio a Harpalo, deseoso de conseguir la honra que no tiene por herencia de sangre: «... no permitas que te llamen Harpalo Comense, sino Harpalo de Como, porque es lo que corresponde a los nobles».

[2] *confesó y no negó:* parodia del Evangelio de San Juan, 1, 20: «confessus est et non negavit».

y padesció persecución por justicia. Espero en Dios que está en la gloria, pues el Evangelio los llama bienaventurados[3]. En este tiempo se hizo cierta armada contra moros, entre los cuales[4] fue mi padre, que a la sazón estaba desterrado por el desastre ya dicho, con cargo de acemilero de un caballero que allá fue; y con su señor, como leal criado, fenesció su vida.

Mi viuda madre, como sin marido y sin abrigo se viese, determinó arrimarse a los buenos por ser uno dellos[5], y vínose a vivir a la ciudad, y alquiló una casilla, y metiose a guisar de comer a ciertos estudiantes, y lavaba la ropa a ciertos mozos de caballos del Comendador de la Magdalena[6], de manera que fue frecuentando las caballerizas. Ella y un hombre moreno de aquellos que las bestias curaban[7], vinieron en conocimiento. Éste algunas veces se venía a nuestra casa y se iba a la mañana. Otras veces, de día, llegaba a la puerta en achaque[8] de comprar huevos y entrábase en casa. Yo, al principio de su entrada, pesábame con él y habíale miedo, viendo el color y mal gesto

---

[3] *el Evangelio los llama bienaventurados:* parodia del Evangelio de San Mateo 5, 10, «Bienaventurados los que padecen persecución por la justicia, porque de ellos es el reino de los cielos». Naturalmente aquí se busca el chiste en ese *por la justicia:* el padre de Lázaro es perseguido por el *poder judicial* a causa de sus hurtos.

[4] *entre los cuales:* aunque en concordancia de sentido puede referirse a los que iban en la armada, no hay que descartar que se busque la ambigüedad de «moros, entre los cuales...».

[5] Un viejo refrán decía: «allégate a los buenos y serás uno de ellos».

[6] Parroquia de Salamanca, anteriormente iglesia de la Orden militar de Alcántara.

[7] *moreno:* según el *Diccionario de Autoridades,* solía llamarse así «al hombre negro atezado, por suavizar la voz negro, que es la que le corresponde»; *curaban,* cuidaban.

[8] *en achaque:* con el pretexto de...

que tenía; mas, de que vi que con su venida mejoraba el comer, fuile queriendo bien, porque siempre traía pan, pedazos de carne y en el invierno leños a que nos calentábamos.

De manera que, continuando la posada y conversación [9], mi madre vino a darme un negrito muy bonito, el cual yo brincaba [10] y ayudaba a calentar. Y acuérdome que estando el negro de mi padrastro trebejando [11] con el mozuelo, como el niño vía a mi madre y a mí blancos y a él no, huía de él con miedo para mi madre y, señalando con el dedo, decía: «¡Madre, coco!». Respondió él riendo: «¡Hideputa!».

Yo, aunque bien mochacho, noté aquella palabra de mi hermanico y dije entre mí: «¡Cuántos debe de haber en el mundo que huyen de otros porque no se veen a sí mesmos!».

Quiso nuestra fortuna que la conversación del Zaide, que así se llamaba, llegó a oídos del mayordomo y, hecha pesquisa, hallose que la mitad por medio de la cebada que para las bestias le daban, hurtaba, y salvados, leña, almohazas [12], mandiles, y las mantas y sábanas de los caballos hacía perdidas; y, cuando otra cosa no tenía, las bestias desherraba, y con todo esto acudía [13] a mi madre para criar a mi hermanico. No nos maravillemos de un clérigo ni de un fraile porque el uno hurta de los pobres y el otro de casa para sus devotas y para ayuda de

---

[9] *conversación:* el *Diccionario de Autoridades* registra en el vocablo la significación de «trato y comunicación ilícita o amancebamiento». Aquí se juega con el doble sentido.

[10] *brincaba:* ponía sobre las rodillas y levantaba en alto.

[11] *trebejando:* jugando.

[12] *almohazas:* rascaderas de hierro para limpiar los caballos.

[13] *acudía:* ayudaba.

otro tanto [14], cuando a un pobre esclavo el amor le animaba a esto.

Y probósele cuanto digo y aún más, porque a mí con amenazas me preguntaban, y, como niño, respondía y descubría cuanto sabía, con miedo: hasta ciertas herraduras que por mandado de mi madre a un herrero vendí. Al triste de mi padrastro azotaron y pringaron [15], y a mi madre pusieron pena por justicia, sobre el acostumbrado centenario [16], que en casa del sobredicho Comendador no entrase ni al lastimado Zaide en la suya acogiese.

Por no echar la soga tras el caldero [17], la triste se esforzó y cumplió la sentencia, y, por evitar peligro y quitarse de malas lenguas, se fue a servir a los que al presente vivían en el mesón de la Solana. Y allí, padesciendo mil importunidades, se acabó de criar mi hermanico, hasta que supo andar, y a mí hasta ser buen mozuelo, que iba a los huéspedes por vino y candelas y por lo demás que me mandaban.

---

[14] *para ayuda de otro tanto:* no nos maravillemos de que clérigos y frailes hurten, respectivamente, del dinero que recogen para los pobres o de sus conventos, a fin de ayudar a sus amantes para que críen a los hijos habidos de ellas.

[15] *azotaron y pringaron:* las Ordenanzas castigaban tales hurtos con pérdida del sueldo durante un tiempo y cien azotes. Cuando se trataba de negros o moros, era frecuente, además, *pringarlos,* esto es, derretir tocino encima de las heridas causadas por los azotes. En el caso del Zaide y la madre de Lázaro concurrían otras circunstancias agravantes: la cohabitación de una mujer «con hombre de otra ley» era juzgada como incesto, en el cual se apreciaba una suerte de herejía; ella, además, era viuda y servía en la casa del comendador, de quien el negro era esclavo. Las leyes prescribían en ese caso: a él, cien azotes y ser quemado; a ella, cien azotes. Véase mi *Nueva lectura...,* pág. 129.

[16] *centenario* de azotes. Véase la nota anterior.

[17] *echar la soga tras el caldero:* adagio que aquí da pie a jugar con la ambigüedad de insinuar que, en caso de persistir, al caldero del pringue podría suceder otra pena más grave.

En este tiempo vino a posar al mesón un ciego, el cual, paresciéndole que yo sería para adestralle [18], me pidió a mi madre, y ella me encomendó a él, diciéndole cómo era hijo de un buen hombre, el cual, por ensalzar la fe, había muerto en la de los Gelves [19], y que ella confiaba en Dios no saldría peor hombre que mi padre, y que le rogaba me tratase bien y mirase por mí, pues era huérfano. Él respondió que así lo haría y que me recibía no por mozo sino por hijo. Y así le comencé a servir y adestrar a mi nuevo y viejo amo.

Como estuvimos en Salamanca algunos días, paresciéndole a mi amo que no era la ganancia a su contento, determinó irse de allí; y cuando nos hubimos de partir, yo fui a ver a mi madre y, ambos llorando, me dio su bendición y dijo:

—Hijo, ya sé que no te veré más. Procura de ser bueno, y Dios te guíe. Criado te he y con buen amo te he puesto; válete por ti.

Y así, me fui para mi amo, que esperándome estaba.

Salimos de Salamanca, y, llegando a la puente, está a la entrada della un animal de piedra que casi tiene forma de toro, y el ciego mandóme que llegase cerca del animal, y, allí puesto, me dijo:

—Lázaro, llega el oído a este toro y oirás gran ruido dentro dél.

Yo, simplemente, llegué, creyendo ser ansí. Y, como sintió que tenía la cabeza par de la piedra, afirmó recio

---

[18] *adestralle:* guiarlo como destrón o mozo que lleva a un ciego tomándole de la mano derecha.

[19] *la de los Gelves:* la armada contra los moros antes aludida y sobre la que he hablado en la Introducción.

la mano y diome una gran calabazada en el diablo del toro, que más de tres días me duró el dolor de la cornada, y díjome:

—Necio, aprende: que el mozo del ciego un punto ha de saber más que el diablo.

Y rió mucho la burla.

Paresciome que en aquel instante desperté de la simpleza en que, como niño, dormido estaba. Dije entre mí: «Verdad dice éste, que me cumple avivar el ojo y avisar, pues solo soy, y pensar cómo me sepa valer».

Comenzamos nuestro camino, y en muy pocos días me mostró jerigonza[20]. Y como me viese de buen ingenio, holgábase mucho y decía:

—Yo oro ni plata no te lo puedo dar[21]; mas avisos para vivir, muchos te mostraré.

Y fue ansí, que, después de Dios, éste me dio la vida, y, siendo ciego, me alumbró y adestró en la carrera de vivir[22].

Huelgo de contar a Vuestra Merced estas niñerías, para mostrar cuánta virtud sea saber los hombres subir siendo bajos, y dejarse bajar siendo altos cuánto vicio.

Pues tornando al bueno de mi ciego y contando sus cosas, Vuestra Merced sepa que desde que Dios crió el mundo, ninguno formó más astuto ni sagaz. En su oficio era un águila: ciento y tantas oraciones sabía de coro; un

---

[20] *jerigonza:* jerga de germanía y maleantes. El autor anónimo no la pone, en cambio, en boca de Lázaro.

[21] Parodia de las palabras de San Pedro recogidas en los *Hechos de los Apóstoles* 3, 6.

[22] *adestró en la carrera de vivir:* además de la paradoja de que sea un ciego quien le alumbra, y del juego de simetría —el ciego al que Lazarillo guía como destrón, le adiestra a él—, las últimas palabras contrahacen el Salmo, 31, 8, «Te enseñaré la vía por la que debes caminar».

tono bajo, reposado y muy sonable, que hacía resonar la iglesia donde rezaba; un rostro humilde y devoto, que con muy buen continente ponía cuando rezaba, sin hacer gestos ni visajes con boca ni ojos como otros suelen hacer.

Allende [23] desto, tenía otras mil formas y maneras para sacar el dinero. Decía saber oraciones para muchos y diversos efectos: para mujeres que no parían, para las que estaban de parto; para las que eran malcasadas, que sus maridos las quisiesen bien. Echaba pronósticos a las preñadas, si traían hijo o hija. Pues en caso de medicina, decía que Galeno no supo la mitad que él para muelas, desmayos, males de madre [24]. Finalmente, nadie le decía padecer alguna pasión [25], que luego no le decía:

—Haced esto, haréis estotro, cosed [26] tal yerba, tomad tal raíz.

Con esto andábase todo el mundo tras él, especialmente mujeres, que cuanto les decía creían. Déstas sacaba él grandes provechos con las artes que digo, y ganaba más en un mes que cien ciegos en un año. Mas también quiero que sepa Vuestra Merced que, con todo lo que adquiría y tenía, jamás tan avariento ni mezquino hombre no vi; tanto, que me mataba a mí de hambre, y así no me demediaba [27] de lo necesario. Digo verdad: si con mi sotileza y buenas mañas no me supiera remediar, muchas veces me finara de hambre; mas, con todo su saber y aviso, le contaminaba [28] de tal suerte, que siempre,

---

[23] *Allende:* además.
[24] *madre:* matriz.
[25] *pasión:* dolor.
[26] *cosed:* coged. Confusión de sibilantes.
[27] *no me demediaba:* no lograba yo ni la mitad de lo que necesitaba.
[28] *contaminaba:* engañaba secretamente, sin que él lo advirtiera.

o las más veces, me cabía lo más y mejor. Para esto le hacía burlas endiabladas, de las cuales contaré algunas, aunque no todas a mi salvo.

Él traía el pan y todas las otras cosas en un fardel de lienzo, que por la boca se cerraba con una argolla de hierro y su candado y llave; y al meter de las cosas y sacallas, era con tanta vigilancia y tan por contadero [29], que no bastara todo el mundo a hacerle menos una migaja. Mas yo tomaba aquella lazeria [30] que él me daba, la cual en menos de dos bocados era despachada. Después que cerraba el candado y se descuidaba pensando que yo estaba entendiendo en otras cosas, por un poco de costura que muchas veces del un lado del fardel descosía y tornaba a coser, sangraba el avariento fardel, sacando, no por tasa, pan, mas buenos pedazos, torreznos y longaniza. Y ansí buscaba conveniente tiempo para rehacer, no la chaza [31], sino la endiablada falta que el mal ciego me faltaba.

Todo lo que podía sisar y hurtar traía en medias blancas, y cuando le mandaban rezar y le daban blancas [32], como él carecía de vista, no había el que se la daba amagado con ella, cuando yo la tenía lanzada en la boca y la

---

[29] *por contadero:* por un espacio tan estrecho que sólo se puede pasar de uno en uno.

[30] *laceria:* miseria.

[31] *rehacer la chaza:* «volver a jugar la pelota» tras una falta en saque y contrarrestro. Lázaro hace un juego de palabras apoyado en el doble sentido de *rehacer,* repetir/arreglar, y de *falta,* error en el juego de la pelota/escasez de comida.

[32] *medias blancas:* moneda castellana. Una *blanca* valía entonces medio maravedí. Más adelante, Lázaro contará que la cabeza de carnero que el clérigo de Maqueda le mandaba comprar los sábados costaba tres maravedís.

media aparejada, que, por presto que él echaba la mano, ya iba de mi cambio aniquilada en la mitad del justo precio [33]. Quejábaseme el mal ciego, porque al tiento luego conocía y sentía que no era blanca entera, y decía:

—¿Qué diablo es esto, que después que comigo estás no me dan sino medias blancas, y de antes una blanca y un maravedí hartas veces me pagaban? En ti debe estar esta desdicha.

También él abreviaba el rezar y la mitad de la oración no acababa, porque me tenía mandado que, en yéndose el que la mandaba rezar, le tirase por cabo del capuz [34]. Yo así lo hacía. Luego él tornaba a dar voces, diciendo: «¿Mandan rezar tal y tal oración?», como suelen decir.

Usaba poner cabe sí un jarrillo de vino, cuando comíamos, y yo muy de presto le asía y daba un par de besos callados y tornábale a su lugar; mas turome [35] poco, que en los tragos conocía la falta, y, por reservar su vino a salvo, nunca después desamparaba el jarro, antes lo tenía por el asa asido. Mas no había piedra imán que así trajese a sí como yo con una paja larga de centeno que para aquel menester tenía hecha, la cual, metiéndola en la boca del jarro, chupando el vino, lo dejaba a buenas

---

[33] Era costumbre que el mozo de ciego besara las monedas al recogerlas en limosna antes de depositarlas aquél en la bolsa. Lazarillo tenía preparada en su boca una *media blanca;* cuando le echaban al ciego una *blanca,* él la cogía por el aire y, simulando besarla, la cambiaba por aquélla.

la mitad del justo precio: traducción de una fórmula del derecho romano que señalaba en la legislación española de la época el límite justo por encima o por debajo del cual se podía reclamar legalmente en ventas y compras.

[34] *capuz:* capa cerrada larga.

[35] *turome:* durome. Es trueque frecuente en el *Lazarillo.*

noches. Mas, como fuese el traidor tan astuto, pienso que me sintió, y dende en adelante mudó propósito y asentaba su jarro entre las piernas y atapábale con la mano y ansí bebía seguro. Yo, como estaba hecho al vino, moría por él y, viendo que aquel remedio de la paja no me aprovechaba ni valía, acordé en el suelo del jarro hacerle una fuentecilla y agujero sotil, y delicadamente, con una muy delgada tortilla de cera, taparlo, y, al tiempo de comer fingendo haber frío, entrábame entre las piernas del triste ciego a calentarme en la pobrecilla lumbre que teníamos, y, al calor della, luego derretida la cera, por ser muy poca, comenzaba la fuentecilla a destilarme en la boca, la cual yo de tal manera ponía, que maldita la gota se perdía. Cuando el pobreto iba a beber, no hallaba nada. Espantábase, maldecíase, daba al diablo el jarro y el vino, no sabiendo qué podía ser.

—No diréis, tío, que os lo bebo yo —decía—, pues no le quitáis de la mano.

Tantas vueltas y tientos dio al jarro, que halló la fuente y cayó en la burla; mas así lo disimuló como si no lo hubiera sentido. Y luego otro día, teniendo yo rezumando mi jarro como solía, no pensando el daño que me estaba aparejado ni que el mal ciego me sentía, senteme como solía. Estando recibiendo aquellos dulces tragos, mi cara puesta hacia el cielo, un poco cerrados los ojos por mejor gustar el sabroso licuor, sintió el desesperado ciego que agora tenía tiempo de tomar de mí venganza, y con toda su fuerza, alzando con dos manos aquel dulce y amargo jarro, le dejó caer sobre mi boca, ayudándose, como digo, con todo su poder, de manera que el pobre Lázaro, que de nada desto se guardaba, antes, como otras veces, estaba descuidado y gozoso, verdaderamente me paresció que el cielo, con todo lo que en él hay, me había caído encima [36].

Fue tal el golpecillo, que me desatinó y sacó de sentido, y el jarrazo tan grande, que los pedazos dél se me metieron por la cara, rompiéndomela por muchas partes, y me quebró los dientes, sin los cuales hasta hoy día me quedé. Desde aquella hora quise mal al mal ciego, y, aunque me quería y regalaba y me curaba, bien vi que se había holgado del cruel castigo. Lavome con vino las roturas que con los pedazos del jarro me había hecho, y, sonriéndose, decía:

—¿Qué te parece Lázaro? Lo que te enfermó te sana y da salud.

Y otros donaires, que a mi gusto no lo eran.

Ya que estuve medio bueno de mi negra trepa [37] y cardenales, considerando que a pocos golpes tales el cruel ciego ahorraría de mí, quise yo ahorrar dél; mas no lo hice tan presto, por hacello más a mi salvo y provecho. Y aunque yo quisiera asentar mi corazón y perdonalle el jarrazo, no daba lugar el mal tratamiento que el mal ciego dende allí adelante me hacía, que sin causa ni razón me hería, dándome coxcorrones y repelándome. Y si alguno le decía por qué me trataba tan mal, luego contaba el cuento del jarro, diciendo:

—¿Pensaréis que este mi mozo es algún inocente? Pues oíd si el demonio ensayara otra tal hazaña.

Santiguándose, los que oían, decían:

---

[36] Adviértase en el cambio de personas gramaticales —de primera a tercera y viceversa— el estilo coloquial de narración oral a que me he referido en la Introducción.

[37] *trepa:* orla del vestido. De manera semejante había quedado orlada la cara de Lázaro.

—¡Mirá [38], quién pensara de un mochacho tan pequeño tal ruindad!

Y reían mucho el artificio y decíanle:

—¡Castigaldo, castigaldo, que de Dios lo habréis! [39].

Y él, con aquello, nunca otra cosa hacía.

Y en esto yo siempre le llevaba por los peores caminos, y adrede, por le hacer mal y daño: si había piedras, por ellas; si lodo, por lo más alto, que, aunque yo no iba por lo más enjuto, holgábame a mí de quebrar un ojo por quebrar dos al que ninguno tenía. Con esto, siempre con el cabo alto del tiento [40] me atentaba el colodrillo [41], el cual siempre traía lleno de tolondrones y pelado de sus manos. Y aunque yo juraba no lo hacer con malicia, sino por no hallar mejor camino, no me aprovechaba ni me creía, mas tal era el sentido y el grandísmo entendimiento del traidor.

Y porque vea Vuestra Merced a cuánto se estendía el ingenio deste astuto ciego, contaré un caso de muchos que con él me acaescieron, en el cual me parece dio bien a entender su gran astucia. Cuando salimos de Salamanca, su motivo fue venir a tierra de Toledo, porque decía ser la gente más rica, aunque no muy limosnera. Arrimábase a este refrán: «Más da el duro que el desnudo». Y venimos a este camino por los mejores lugares. Donde hallaba buena acogida y ganancia, deteníamonos; donde no, a tercero día hacíamos Sant Juan [42].

---

[38] *Mirá:* forma entonces habitual del imperativo *mirad.*

[39] *que de Dios lo habréis:* que Dios os lo pagará.

[40] *tiento:* palo que usan los ciegos para que les sirva como guía.

[41] *colodrillo:* parte posterior de la cabeza.

[42] *hacíamos Sant Juan:* cambiábamos de sitio. Numerosos refranes indican cómo la fiesta de San Juan, 24 de junio, era la ocasión principal del año para cambiar de casa, de criado o para concluir tratos.

Acaesció que, llegando a un lugar que llaman Almorox[43] al tiempo que cogían las uvas, un vendimiador le dio un racimo dellas en limosna. Y como suelen ir los cestos maltratados, y también porque la uva en aquel tiempo está muy madura, desgranábasele el racimo en la mano. Para echarlo en el fardel, tornábase mosto, y lo que a él se llegaba[44]. Acordó de hacer un banquete, ansí por no lo poder llevar como por contentarme, que aquel día me había dado muchos rodillazos y golpes. Sentámonos en un valladar y dijo:

—Agora quiero yo usar contigo de una liberalidad, y es que ambos comamos este racimo de uvas y que hayas dél tanta parte como yo. Partillo hemos desta manera: tu picarás una vez y yo otra, con tal que me prometas no tomar cada vez más de una uva. Yo haré lo mesmo hasta que lo acabemos, y desta suerte no habrá engaño.

Hecho ansí el concierto, comenzamos; mas luego, al segundo lance, el traidor mudó propósito y comenzó a tomar de dos en dos, considerando que yo debría hacer lo mismo. Como vi que él quebraba la postura, no me contenté ir a la par con él, mas aún pasaba adelante: dos a dos y tres a tres y, como podía, las comía. Acabado el racimo, estuvo un poco con el escobajo en la mano y, meneando la cabeza, dijo:

—Lázaro, engañado me has. Juraré yo a Dios que has tú comido las uvas tres a tres.

—No comí —dije yo—; mas ¿por qué sospecháis eso?

Respondió el sagacísimo ciego:

—¿Sabes en qué veo que las comiste tres a tres? En que comía yo dos a dos y callabas.

---

[43] Partido de Escalona, en Toledo.

[44] Lo que tocaba el racimo se convertía también en mosto.

LA EDICIÓN DE ALCALÁ AÑADE:

A lo cual yo no respondí. Yendo que íbamos ansí por debajo de unos soportales en Escalona, adonde a la sazón estábamos, en casa de un zapatero había muchas sogas y otras cosas que de esparto se hacen, y parte dellas dieron a mi amo en la cabeza, el cual, alzando la mano, tocó en ellas y, viendo lo que era, díjome:

—Anda presto, mochacho; salgamos de entre tan mal manjar, que ahoga sin comerlo.

Yo, que bien descuidado iba de aquello, miré lo que era y, como no vi sino sogas y cinchas, que no era cosa de comer, díjele:

—Tío, ¿por qué decís eso?

Respondiome:

—Calla, sobrino; según las mañas que llevas, lo sabrás, y verás cómo digo verdad.

Y ansí pasamos adelante por el mismo portal y llegamos a un mesón, a la puerta del cual había muchos cuernos en la pared, donde ataban los recueros sus bestias, y como iba tentando si era allí el mesón adonde él rezaba cada día por la mesonera la oración de la emparedada, asió de un cuerno, y con un gran sospiro dijo:

—¡Oh, mala cosa, peor que tienes la hechura! ¡De cuántos eres deseado poner tu nombre sobre cabeza ajena y de cuan pocos tenerte ni aun oír tu nombre, por ninguna vía!

Como le oí lo que decía, dije:

—Tío, ¿qué es eso que decís?

—Calla, sobrino, que algún día te dará éste que en la mano tengo alguna mala comida y cena.

—No le comeré yo —dije— y no me la dará.

— Yo te digo verdad; si no, verlo has, si vives[45].

Y ansí pasamos adelante hasta la puerta del mesón, adonde pluguiere a Dios nunca allá llegáramos, según lo que me suscedía en él.

Era todo lo más que rezaba, por mesoneras, y por bodegoneras y turroneras y rameras; y ansí, por semejantes mujercillas, que por hombre casi nunca le vi decir oración.

Reíme entre mí, y, aunque mochacho, noté mucho la discreta consideración del ciego.

Mas, por no ser prolijo, dejo de contar muchas cosas, así graciosas como de notar, que con este mi primer amo me acaescieron, y quiero decir el despidiente[46] y, con él, acabar.

Estábamos en Escalona, villa del duque della, en un mesón, y diome un pedazo de longaniza que le asase. Ya que la longaniza había pringado y comídose las pringadas[47], sacó un maravedí de la bolsa y mandó que fuese por él de vino a la taberna. Púsome el demonio el aparejo delante los ojos, el cual, como suelen decir, hace al ladrón, y fue que había cabe el fuego un nabo pequeño, larguillo y ruinoso, y tal que por no ser para la olla debió ser echado allí. Y como al presente nadie estuviese sino él y yo solos, como me vi con apetito goloso, habiéndome puesto dentro el sabroso olor de la longaniza, del

---

[45] Clara alusión anticipada al «caso» del Tratado VII, la condición de Lázaro como cornudo.

[46] *decir el despidiente y con él acabar:* contar el suceso que originó la separación del ciego y acabar con él la narración de esa etapa de la vida de Lázaro.

[47] *pringadas:* rebanadas de pan sobre las que se echaba el *pringue.*

cual solamente sabía que había de gozar, no mirando qué me podría suceder, pospuesto todo el temor por cumplir con el deseo, en tanto que el ciego sacaba de la bolsa el dinero, saqué la longaniza y muy presto metí el sobredicho nabo en el asador, el cual mi amo, dándome el dinero para el vino, tomó y comenzó a dar vueltas al fuego, queriendo asar al que de ser cocido, por sus deméritos había escapado.

Yo fui por el vino, con el cual no tardé en despachar la longaniza, y cuando vine, hallé al pecador del ciego que tenía entre dos rebanadas apretado el nabo, al cual aún no había conoscido por no lo haber tentado con la mano. Como tomase las rebanadas y mordiese en ellas pensando también llevar parte de la longaniza, hallose en frío con el frío nabo. Alterose y dijo:

—¿Qué es esto, Lazarillo?

—¡Lacerado de mí! —dije yo—. ¿Si queréis a mí echar[48] algo? ¿Yo no vengo de traer el vino? Alguno estaba ahí y, por burlar, haría esto.

—No, no —dijo él—, que yo no he dejado el asador de la mano; no es posible.

Yo torné a jurar y perjurar que estaba libre de aquel trueco y cambio; mas poco me aprovechó, pues a las astucias del maldito ciego nada se le escondía. Levantose y asiome por la cabeza y llegose a olerme. Y como debió sentir el huelgo, a uso de buen podenco, por mejor satisfacerse de la verdad y con la gran agonía que llevaba, asiéndome con las manos, abríame la boca más de su derecho y desatentadamente metía la nariz, la cual él tenía luenga y afilada y a aquella sazón, con el enojo, se había aumen-

---

48 *echar:* culpar de algo.

tado un palmo; con el pico de la cual me llegó a la gulilla. Y con esto, y con el gran miedo que tenía, y con la brevedad del tiempo, la negra longaniza aún no había hecho asiento en el estómago, y lo más principal, con el destiento de la cumplidísima nariz, medio cuasi ahogándome, todas estas cosas se juntaron y fueron causa que el hecho y golosina se manifestase y lo suyo fuese vuelto a su dueño. De manera que, antes que el mal ciego sacase de mi boca su trompa, tal alteración sintió mi estómago, que le dio con el hurto en ella; de suerte que su nariz y la negra mal maxcada longaniza a un tiempo salieron de mi boca.

¡Oh gran Dios, quién estuviera aquella hora sepultado, que muerto ya lo estaba! Fue tal el coraje del perverso ciego, que, si al ruido no acudieran, pienso no me dejara con la vida. Sacáronme de entre sus manos, dejándoselas llenas de aquellos pocos cabellos que tenía, arañada la cara y rascuñado el pescuezo y la garganta. Y esto bien lo merescía[49], pues por su maldad me venían tantas persecuciones.

Contaba el mal ciego a todos cuantos allí se allegaban mis desastres, y dábales cuenta, una y otra vez, así de la del jarro como de la del racimo, y agora de lo presente. Era la risa de todos tan grande, que toda la gente que por la calle pasaba entraba a ver la fiesta; mas con tanta gracia y donaire contaba el ciego mis hazañas, que, aunque yo estaba tan maltratado y llorando, me parescía que hacía sinjusticia en no se las reír.

Y en cuanto esto pasaba, a la memoria me vino una cobardía y flojedad que hice, por que me maldecía, y fue

---

[49] *bien lo merescía:* la garganta cuyo apetito había sido causa del desastre.

no dejalle sin narices, pues tan buen tiempo tuve para ello, que la meitad del camino estaba andado: que con sólo apretar los dientes se me quedaran en casa, y, con ser de aquel malvado, por ventura lo retuviera mejor mi estómago que retuvo la longaniza y, no paresciendo ellas, pudiera negar la demanda [50]. ¡Pluguiera a Dios que lo hubiera hecho, que eso fuera así que así! [51].

Hiciéronnos amigos la mesonera y los que allí estaban, y, con el vino que para beber le había traído, laváronme la cara y la garganta, sobre lo cual discantaba [52] el mal ciego donaires, diciendo:

—Por verdad, más vino me gasta este mozo en lavatorios al cabo del año, que yo bebo en dos. A lo menos. Lázaro, eres en más cargo al vino que a tu padre, porque él una vez te engendró, mas el vino mil te ha dado la vida.

Y luego contaba cuántas veces me había descalabrado y arpado la cara [53], y con vino luego sanaba.

—Yo te digo —dijo— que si hombre en el mundo ha de ser bienaventurado con vino, que serás tú.

Y reían mucho los que me lavaban con esto, aunque yo renegaba; mas el pronóstico del ciego no salió mentiroso, y después acá muchas veces me acuerdo de aquel hombre, que sin duda debía tener espíritu de profecía, y

---

50 *negar la demanda:* no habría lugar a la demanda judicial si no apareciera el cuerpo del delito, las narices del ciego.

51 *que eso fuera así que así:* Rico lo lee en el sentido de que «las consecuencias hubieran sido las mismas para mí habiéndole mordido que no habiéndolo hecho»; a mí me parece más coherente con el contexto interpretar: ojalá lo hubiera hecho, porque eso nos habría dejado empatados en daños causados.

52 *discantaba:* contaba a contrapunto de las acciones de cura.

53 *arpado la cara:* arañado la cara, dejándola marcada como con cuerdas de arpa.

me pesa de los sinsabores que le hice, aunque bien se lo pagué, considerando lo que aquel día me dijo salirme tan verdadero como adelante Vuestra Merced oirá [54].

Visto esto y las malas burlas que el ciego burlaba de mí, determiné de todo en todo dejalle, y, como lo traía pensado y lo tenía en voluntad, con este postrer juego que me hizo afirmelo más. Y fue ansí, que luego otro día salimos por la villa a pedir limosna, y había llovido mucho la noche antes. Y porque el día también llovía, y andaba rezando debajo de unos portales que en aquel pueblo había, donde no nos mojamos [55], mas como la noche se venía y el llover no cesaba, díjome el ciego:

—Lázaro, esta agua es muy porfiada, y cuanto la noche más cierra, más recia. Acojámonos a la posada con tiempo.

Para ir allá habíamos de pasar un arroyo, que con la mucha agua iba grande. Yo le dije:

—Tío, el arroyo va muy ancho; mas si queréis, yo veo por donde travesemos más aína [56], sin nos mojar, porque se estrecha allí mucho y, saltando, pasaremos a pie enjuto.

Pareciole buen consejo y dijo:

—Discreto eres, por esto te quiero bien. Llévame a ese lugar donde el arroyo se ensangosta [57], que agora es invierno y sabe mal el agua, y más llevar los pies mojados.

Yo, que vi el aparejo a mi deseo, saquele debajo de los portales y llevelo derecho de un pilar o poste de piedra que en la plaza estaba, sobre el cual y sobre otros cargaban saledizos de aquellas casas, y dígole:

---

[54] Lázaro, en efecto, llegará a triunfar como pregonero de vinos, tal como contará en el Tratado VII.

[55] *mojamos,* mojábamos.

[56] *más aína:* mas rápidamente.

[57] *ensangosta:* se hace más angosto, se estrecha.

—Tío, éste es el paso más angosto que en el arroyo hay.

Como llovía recio y el triste se mojaba, y con la priesa que llevábamos de salir del agua, que encima nos caía, y lo más principal, porque Dios le cegó aquella hora el entendimiento (fue por darme de él venganza), creyose de mí, y dijo:

—Ponme bien derecho y salta tú el arroyo.

Yo le puse bien derecho enfrente del pilar, y doy un salto y póngome detrás del poste, como quien espera tope de toro [58], y díjele:

—¡Sus, saltá todo lo que podáis, porque deis deste cabo del agua!

Aun apenas lo había acabado de decir, cuando se abalanza el pobre ciego como cabrón y, de toda su fuerza, arremete, tomando un paso atrás de la corrida para hacer mayor salto, y da con la cabeza en el poste, que sonó tan recio como si diera con una gran calabaza, y cayó luego para atrás medio muerto y hendida la cabeza.

—¿Cómo, y olistes la longaniza y no el poste? ¡Olé! [59]. ¡Olé! —le dije yo.

Y déjole en poder de mucha gente que lo había ido a socorrer, y tomo la puerta de la villa en los pies de un trote, y, antes de que la noche viniese, di comigo en Torrijos. No supe más lo que Dios dél hizo ni curé [60] de lo saber.

---

[58] *como quien espera tope de toro:* como cuando los que corren toros se esconden en el burladero.

[59] *¡Olé!, ¡Olé!:* Oled, Oled.

[60] *ni curé:* ni me preocupé.

TRACTADO SEGUNDO

CÓMO LÁZARO SE ASENTÓ CON UN CLÉRIGO, Y DE LAS COSAS QUE CON ÉL PASÓ

Otro día, no pareciéndome estar allí seguro, fuime a un lugar que llaman Maqueda [1], adonde me toparon mis pecados con un clérigo, que, llegando a pedir limosna, me preguntó si sabía ayudar a misa. Yo dije que sí, como era verdad; que, aunque maltratado, mil cosas buenas me mostró el pecador del ciego, y una dellas fue ésta. Finalmente, el clérigo me recibió por suyo.

Escapé del trueno y di en el relámpago [2], porque era el ciego para con éste un Alexandre Magno [3], con ser la misma avaricia, como he contado. No digo más, sino que toda la lazeria del mundo estaba encerrada en éste. No sé si de su cosecha era, o lo había anexado con el hábito de clerecía [4].

---

1 *Maqueda:* pueblo toledano, entre Torrijos y Escalona.

2 Proverbio antiguo, de significación análoga al moderno «Salir de guatemala y entrar en guatepeor».

3 Prototipo de magnanimidad.

4 Sátira clerical apoyada en la referencia a la estrechez de la bocamanga del traje talar. La «manga estrecha», que hoy se relaciona con la escrupulosidad de conciencia, significaba entonces lo que en la actualidad

Él tenía un arcaz viejo y cerrado con su llave, la cual traía atada con un agujeta del paletoque [5]; y en viniendo el bodigo de la iglesia, por su mano era luego allí lanzado y tornada a cerrar el arca. Y en toda la casa no había ninguna cosa de comer, como suele estar en otras algún tocino colgado al humero [6], algún queso puesto en alguna tabla, o en el armario algún canastillo con algunos pedazos de pan que de la mesa sobran; que me parece a mí que, aunque dello no me aprovechara, con la vista dello me consolara. Solamente había una horca de cebollas, y tras la llave, en una cámara en lo alto de la casa. Déstas tenía yo de ración una para cada cuatro días, y, cuando le pedía la llave para ir por ella, si alguno estaba presente, echaba mano al falsopecto [7] y, con gran continencia, la desataba y me la daba diciendo:

—Toma y vuélvela luego, y no hagáis sino golosinar.

Como si debajo della estuvieran todas las conservas de Valencia, con no haber en la dicha cámara, como dije, maldita la otra cosa que las cebollas colgadas de un clavo, las cuales él tenía tan bien por cuenta, que, si por malos de mis pecados me desmandara a más de mi tasa, me costara caro. Finalmente, yo me finaba de hambre.

Pues ya que comigo tenía poca caridad, consigo usaba más. Cinco blancas de carne era su ordinario para comer

---

se expresa por «puño cerrado». El término *anejado* es propio del derecho eclesiástico y hace referencia a un *beneficio* que se añade a otro del que el cura es titular.

[5] *atada con un agujeta del paletoque:* era éste un «capotillo de dos haldas, como escapulario, largo hasta las rodillas y sin mangas»; la agujeta era una «cinta con dos cabos de metal», como agujas pequeñas, para sujetar a través del ojal.

[6] *humero:* la campana de la chimenea.

[7] *falsopecto:* bolsillo hecho en el entreforro del vestido a la altura del pecho.

y cenar[8]. Verdad es que partía comigo del caldo, que de la carne ¡tan blanco el ojo![9], sino un poco de pan, y ¡pluguiera a Dios que me demediara!

Los sábados cómense en esta tierra cabezas de carnero, y enviábame por una, que costaba tres maravedís. Aquélla le cocía, y comía los ojos y la lengua y el cogote y sesos y la carne que en las quijadas tenía, y dábame todos los huesos roídos; y dábamelos en el plato, diciendo:

—Toma, come, triunfa, que para ti es el mundo. Mejor vida tienes que el papa.

«¡Tal te la dé Dios!», decía yo paso[10] entre mí.

A cabo de tres semanas que estuve con él, vine a tanta flaqueza, que no me podía tener en las piernas de pura hambre. Vime claramente ir a la sepultura, si Dios y mi saber no me remediaran. Para usar de mis mañas no tenía aparejo, por no tener en qué dalle salto[11]. Y aunque algo hubiera, no podía cegalle, como hacía al que Dios perdone, si de aquella calabazada feneció, que todavía, aunque astuto, con faltalle aquel preciado sentido, no me sentía; mas estotro, ninguno hay que tan aguda vista tuviese como él tenía.

---

[8] El elevado índice de inflación de precios hizo que una libra de carne de vaca —algo menos de medio kilo—, que en 1520 costaba cuatro maravedís (ocho blancas), llegara en 1553 a diez (veinte blancas); la de carnero costaba aproximadamente la mitad más y su precio evolucionó de la misma manera. Si el *Lazarillo* fue compuesto poco después de 1550, y se supone que el protagonista escribe cuando tiene veintisiete años y había servido al clérigo cuando contaba trece, nos situamos alrededor de 1536. Por entonces la libra de vaca andaba en diez blancas: sería, según eso, menos de un cuarto de kilo por día.

[9] *¡tan blanco el ojo!:* tan limpio como nada.

[10] *paso:* en voz baja.

[11] *salto:* asalto.

Cuando al ofertorio estábamos, ninguna blanca en la concha caía, que no era dél registrada: el un ojo tenía en la gente y el otro en mis manos. Bailábanle los ojos en el caxco como si fueran de azogue. Cuantas blancas ofrecían tenía por cuenta, y, acabado el ofrecer, luego me quitaba la concha y la ponía sobre el altar.

No era yo señor de asirle una blanca todo el tiempo que con él viví, o, por mejor decir, morí. De la taberna nunca le traje una blanca de vino; mas aquel poco que de la ofrenda había metido en su arcaz, compasaba de tal forma que le turaba toda la semana; y por ocultar su gran mezquindad, decíame:

—Mira, mozo, los sacerdotes han de ser muy templados en su comer y beber, y por esto yo no me desmando como otros.

Mas el lacerado mentía falsamente, porque en cofradías y mortuorios que rezamos, a costa ajena comía como lobo y bebía más que un saludador [12]. Y porque dije de mortuorios, Dios me perdone, que jamás fui enemigo de la naturaleza humana sino entonces. Y esto era porque comíamos bien y me hartaban. Deseaba y aun rogaba a Dios que cada día matase el suyo. Y cuando dábamos sacramento a los enfermos, especialmente la extremaunción, como manda el clérigo rezar a los que están allí, yo cierto no era el postrero de la oración, y con todo mi corazón y buena voluntad rogaba al Señor, no que le echase a la parte que más servido fuese [13], como se suele decir, mas que le llevase deste mundo.

---

[12] *saludador:* curandero del que se creía que tenía propiedades medicinales en su aliento o saliva; gente sin escrúpulos, tenían fama de bebedores sin tasa.

[13] Que se cumpliese la voluntad de Dios, conservándole la vida al enfermo o llevándole de este mundo.

Y cuando alguno déstos escapaba, ¡Dios me lo perdone!, que mil veces le daba al diablo, y el que se moría, otras tantas bendiciones llevaba de mí dichas. Porque en todo el tiempo que allí estuve, que serían cuasi seis meses, solas veinte personas fallescieron y éstas bien creo que las maté yo, o, por mejor decir, murieron a mi recuesta; porque, viendo el Señor mi rabiosa y continua muerte, pienso que holgaba de matarlos por darme a mí vida. Mas de lo que al presente padecía, remedio no hallaba; que si el día que enterrábamos yo vivía, los días que no había muerto, por quedar bien vezado de la hartura, tornando a mi cuotidiana hambre, más lo sentía. De manera que en nada hallaba descanso, salvo en la muerte, que yo también para mí como para los otros deseaba algunas veces; mas no la vía, aunque estaba siempre en mí.

Pensé muchas veces irme de aquel mezquino amo; mas por dos cosas lo dejaba: la primera, por no me atrever a mis piernas, por temer de la flaqueza que de pura hambre me venía; y la otra, consideraba y decía: «Yo he tenido dos amos; el primero traíame muerto de hambre y, dejándole, topé con estotro, que me tiene ya con ella en la sepultura; pues si déste desisto y doy en otro más bajo, ¿qué será, sino fenescer?».

Con esto no me osaba menear, porque tenía por fe que todos los grados había de hallar más ruines. Y a abajar otro punto, no sonara Lázaro, ni se oyera en el mundo [14].

Pues estando en tal aflicción, cual plega al Señor librar della a todo fiel cristiano, y sin saber darme consejo, viéndome ir de mal en peor, un día quel cuitado, ruin y lacerado

---

[14] Adviértase la metáfora musical: punto significa *nota;* si tuviera que bajar más su ya bajo sonido, la voz de Lázaro no se oiría más.

de mi amo había ido fuera del lugar, llegose acaso a mi puerta un calderero, el cual yo creo que fue ángel enviado a mí por la mano de Dios en aquel hábito [15]. Preguntome si tenía algo que adobar.

«En mí teníades bien que hacer, y no haríades poco, si me remediásedes», dije paso, que no me oyó.

Mas, como no era tiempo de gastarlo en decir gracias, alumbrado por el Spiritu Sancto, le dije:

—Tío, una llave deste arcaz he perdido, y temo mi señor me azote. Por vuestra vida, veáis si en esas que traéis hay alguna que le haga, que yo os lo pagaré.

Comenzó a probar el angélico calderero una y otra de un gran sartal que dellas traía, y yo ayudalle con mis flacas oraciones. Cuando no me cato [16], veo en figura de panes, como dicen, la cara de Dios [17] dentro del arcaz. Y, abierto, díjele:

—Yo no tengo dineros que os dar por la llave, mas tomad de ahí el pago.

Él tomó un bodigo [18] de aquéllos, el que mejor le paresció, y, dándome mi llave, se fue muy contento, dejándome más a mí.

Mas no toqué en nada por el presente, porque no fuese la falta sentida, y aún, porque me vi de tanto bien señor, paresciome que la hambre no se me osaba llegar. Vino el mísero de mi amo, y quiso Dios no miró en la oblada [19] que el ángel había llevado.

---

[15] Recuérdese lo dicho en la Introducción sobre el concepto utilitario de Dios que Lázaro manifiesta.

[16] *Cuando no me cato:* cuando menos lo pensaba.

[17] *cara de Dios:* según Gonzalo de Correas, «así llaman al pan caído en el suefo, alzándolo».

[18] *bodigo*: panecillo recibido en la iglesia como ofrenda.

[19] *oblada:* ofrenda hecha en la iglesia; en concreto, el bodigo.

Y otro día, en saliendo de casa, abro mi paraíso panal y tomo entre las manos y dientes un bodigo y en dos credos le hice invisible, no se me olvidando el arca abierta. Y comienzo a barrer la casa con mucha alegría, paresciéndome con aquel remedio remediar dende en adelante la triste vida. Y así estuve con ello aquel día y otro gozoso.

Mas no estaba en mi dicha que me durase mucho aquel descanso, porque luego, al tercero día, me vino la terciana [20] derecha. Y fue que veo a deshora al que me mataba de hambre sobre nuestro arcaz, volviendo y revolviendo, contando y tornando a contar los panes. Yo disimulaba y en mi secreta oración y devociones y plegarias decía: «¡Sant Juan, y ciégale!».

Después que estuvo un gran rato echando la cuenta, por días y dedos contando, dijo:

—Si no tuviera a tan buen recaudo esta arca, yo dijera que me habían tomado della panes; pero de hoy más, sólo por cerrar puerta a la sospecha, quiero tener buena cuenta con ellos: nueve quedan y un pedazo.

«¡Nuevas malas te dé Dios!», dije yo entre mí.

Pareciome con lo que dijo pasarme el corazón con saeta de montero y comenzome el estómago a escarbar de hambre, viéndose puesto en la dieta pasada. Fue fuera de casa. Yo, por consolarme, abro la arca y, como vi el pan, comencelo de adorar, no osando recebillo [21]. Contelo, si, a dicha, el lacerado se errara, y hallé su cuenta

---

[20] *terciana:* fiebre que aparece cada tres días. Aparte de que se curaba con dieta rigurosa, Lázaro aprovecha aquí la referencia a su falta de alimento como enfermedad crónica y hace el juego léxico «terciana/derecha».

[21] Con independencia del alcance valorativo que se le otorgue, la parodia eucarística, preparada ya antes con las referencias al arca-sagrario, es aquí clara.

más verdadera que yo quisiera. Lo más que yo pude hacer fue dar en ellos mil besos, y, lo más delicado que yo pude, del partido partí un poco al pelo que él estaba [22] y con aquél pasé aquel día, no tan alegre como el pasado.

Mas, como la hambre creciese, mayormente que tenía el estómago hecho a más pan aquellos dos o tres días ya dichos, moría mala muerte; tanto, que otra cosa no hacía, en viéndome solo, sino abrir y cerrar el arca y contemplar en aquella cara de Dios, que ansí dicen los niños. Mas el mesmo Dios, que socorre a los afligidos, viéndome en tal estrecho, trujo a mi memoria un pequeño remedio: que, considerando entre mí, dije: «Este arquetón es viejo y grande y roto por algunas partes, aunque pequeños agujeros. Puédese pensar que ratones, entrando en él, hacen daño a este pan. Sacarlo entero no es cosa conveniente, porque verá la falta el que en tanta me hace vivir. Esto bien se sufre».

Y comienzo a desmigajar el pan sobre unos no muy costosos manteles que allí estaban, y tomo uno y dejo otro, de manera que en cada cual de tres o cuatro desmigajé su poco. Después, como quien toma grajea, lo comí y algo me consolé. Mas él, como viniese a comer y abriese el arca, vio el mal pesar y sin duda creyó ser ratones los que el daño habían hecho, porque estaba muy al propio contrahecho de como ellos lo suelen hacer. Miró todo el arcaz de un cabo a otro y viole ciertos agujeros por do sospechaba habían entrado. Llamome, diciendo:

—¡Lázaro, mira, mira qué persecución ha venido aquesta noche por nuestro pan!

Yo híceme muy maravillado, preguntándole qué sería.

---

[22] *al pelo que él estaba:* en el sentido del corte.

—¿Qué ha de ser? —dijo él—. Ratones, que no dejan cosa a vida.

Pusímonos a comer, y quiso Dios que aún en esto me fue bien, que me cupo más pan que la lazeria que me solía dar, porque rayó con un cuchillo todo lo que pensó ser ratonado, diciendo:

—Cómete eso, que el ratón cosa limpia es.

Y así aquel día, añadiendo la ración del trabajo de mis manos —o de mis uñas, por mejor decir— acabamos de comer, aunque yo nunca empezaba.

Y luego me vino otro sobresalto, que fue verle andar solícito quitando clavos de paredes y buscando tablillas, con las cuales clavó y cerró todos los agujeros de la vieja arca.

«¡Oh Señor mío —dije yo entonces—, a cuánta miseria y fortuna y desastres estamos puestos los nacidos, y cuan poco turan los placeres de esta nuestra trabajosa vida! Heme aquí que pensaba con este pobre y triste remedio remediar y pasar mi lazeria, y estaba ya cuanto que alegre [23] y de buena ventura. Mas no quiso mi desdicha, despertando a este lacerado de mi amo y poniéndole más diligencia de la que él de suyo se tenía (pues los míseros por la mayor parte nunca de aquélla carecen), agora, cerrando los agujeros del arca, cierrase la puerta a mi consuelo y la abriese a mis trabajos» [24].

---

[23] *cuanto que:* algo.

[24] Todo este párrafo es confuso y evidencia un descuido del autor. Leído literalmente, dice todo lo contrario de lo que evidentemente pretende decir. Caso explica el fallo como fruto de un cruce de construcciones: «mi desdicha no quiso que se abriera la puerta a mi consuelo» y «mi desdicha quiso que mi amo cerrase la puerta a mi consuelo»; «es decir, el autor empezó con un verbo negativo y concluyó como si hubiera sido afirmativo».

Así lamentaba yo, en tanto que mi solícito carpintero, con muchos clavos y tablillas, dio fin a sus obras, diciendo:

—Agora, donos [25] traidores ratones, conviéneos mudar propósito, que en esta casa mala medra tenéis.

De que salió de su casa, voy a ver la obra, y hallé que no dejó en la triste y vieja arca agujero ni aun por donde le pudiese entrar un moxquito. Abro con mi desaprovechada llave, sin esperanza de sacar provecho, y vi los dos o tres panes comenzados, los que mi amo creyó ser ratonados, y dellos todavía saqué alguna lazeria, tocándolos muy ligeramente, a uso de esgremidor diestro. Como la necesidad sea tan gran maestra, viéndome con tanta siempre, noche y día estaba pensando la manera que temía en substentar el vivir. Y pienso, para hallar estos negros remedios, que me era luz la hambre, pues dicen que el ingenio con ella se avisa [26], y al contrario con la hartura, y así era por cierto en mí.

Pues estando una noche desvelado en este pensamiento, pensando cómo me podría valer y aprovecharme del arcaz, sentí que mi amo dormía, porque lo mostraba con roncar y en unos resoplidos grandes que daba cuando estaba durmiendo. Levanteme muy quedito, y, habiendo en el día pensado lo que había de hacer y dejado un cuchillo viejo que por allí andaba en parte do le hallasse, voyme al triste arcaz, y, por do había mirado tener menos defensa, le acometí con el cuchillo, que a manera de barreno dél usé. Y como la antiquísima arca, por ser de tantos años, la hallase sin fuerza y corazón, antes muy blanda y carcomida, luego se me rindió y consintió en su costado, por mi remedio, un

---

[25] *donos:* plural irónico de don.

[26] Correas recoge, en efecto, el adagio: «La hambre despierta el ingenio».

buen agujero. Esto hecho, abro muy paso la llagada arca y, al tiento, del pan que hallé partido, hice según deyuso[27] está escripto. Y con aquello algún tanto consolado, tornando a cerrar, me volví a mis pajas, en las cuales reposé y dormí un poco; lo cual hacía mal, y echábalo al no comer: y ansí sería, porque, cierto, en aquel tiempo no me debían de quitar el sueño los cuidados del rey de Francia[28].

Otro día fue por el señor mi amo visto el daño, así del pan como del agujero que yo había hecho, y comenzó a dar al diablo los ratones y decir:

—¿Qué diremos a esto? ¡Nunca haber sentido ratones en esta casa sino agora!

Y sin dubda debía de decir verdad, porque, si casa había de haber en el reino justamente dellos privilegiada[29], aquélla de razón había de ser, porque no suelen morar donde no hay qué comer. Torna a buscar clavos por la casa y por las paredes, y tablillas, y a atapárselos. Venida la noche y su reposo, luego yo era puesto en pie con mi aparejo, y cuantos él tapaba de día destapaba yo de noche.

En tal manera fue y tal priesa nos dimos, que sin dubda por esto se debió decir: «donde una puerta se cierra, otra se abre». Finalmente, parescíamos tener a destajo la tela de Penélope, pues cuanto él tejía de día rompía yo de noche; ca[30] en pocos días y noches pusimos la pobre despensa de tal forma, que quien quisiera propiamente della hablar, más corazas viejas de otro tiempo que no arcaz la llamara, según la clavazón y tachuelas sobre sí tenía.

---

[27] *deyuso:* debajo. En realidad lo ha escrito pocas líneas antes.

[28] Era proverbial aludir al rey de Francia como prototipo del hombre acuciado por mil cuidados.

[29] *privilegiada:* con el privilegio de no pagar tributo.

[30] *ca:* aquí, con valor copulativo, *y*.

De que vio no le aprovechar nada su remedio, dijo:

—Este arcaz está tan maltratado y es de madera tan vieja y flaca, que no habrá ratón a quien se defienda, y va ya tal que, si andamos más con él, nos dejará sin guarda. Y aun lo peor, que, aunque hace poca, todavía hará falta faltando, y me pondrá en costa de tres o cuatro reales. El mejor remedio que hallo, pues el de hasta aquí no aprovecha: armaré por de dentro a estos ratones malditos.

Luego buscó prestada una ratonera, y, con cortezas de queso que a los vecinos pedía, contino el gato estaba armado dentro del arca. Lo cual era para mí singular auxilio, porque, puesto caso que yo no había menester muchas salsas para comer, todavía me holgaba con las cortezas del queso que de la ratonera sacaba, y sin esto no perdonaba el ratonar del bodigo.

Como hallase el pan ratonado y el queso comido, y no cayese el ratón que lo comía, dábase al diablo, preguntaba a los vecinos qué podría ser comer el queso y sacarlo de la ratonera y no caer ni quedar dentro el ratón y hallar caída la trampilla del gato. Acordaron los vecinos no ser el ratón el que este daño hacía, porque no fuera menos de haber caído alguna vez. Díjole un vecino:

—En vuestra casa yo me acuerdo que solía andar una culebra, y ésta debe de ser sin dubda; y lleva razón, que, como es larga, tiene lugar de tomar el cebo y, aunque la coja la trampilla encima, como no entre toda dentro, tórnase a salir.

Cuadró a todos lo que aquél dijo y alteró mucho a mi amo, y dende en adelante no dormía tan a sueño suelto, que cualquier gusano de madera que de noche sonase, pensaba ser la culebra que le roía el arca. Luego era puesto en pie y, con un garrote que a la cabecera, desde que aquello le dijeron, ponía, daba en la pecadora del arca grandes garrotazos, pensando espantar la culebra. A los vecinos despertaba con el estruendo que hacia, y a mí no me dejaba dormir. Íbase a mis pajas y trastornábalas, y a mí con ellas, pensando que se iba para mi y se envolvía en mis pajas o en mi sayo; porque le decían que de noche acaescía a estos animales, buscando calor, irse a las cunas donde están criaturas, y aún mordellas y hacerles peligrar.

Yo las más veces hacía del dormido, y en la mañana decíame él:

—Esta noche, mozo, ¿no sentiste nada? Pues tras la culebra anduve, y aun pienso se ha de ir para ti a la cama, que son muy frías y buscan calor.

—¡Plega a Dios que no me muerda —decía yo—, que harto miedo le tengo!

Desta manera andaba tan elevado y levantado del sueño, que, mi fe, la culebra, o el culebro por mejor decir, no osaba roer de noche ni levantarse al arca; mas de día, mientras estaba en la iglesia o por el lugar, hacía mis saltos. Los cuales daños viendo él, y el poco remedio que les podía poner, andaba de noche, como digo, hecho trasgo[31].

Yo hube miedo que con aquellas diligencias no me topase con la llave, que debajo de las pajas tenía, y parescióme lo más seguro metella de noche en la boca; porque ya, desde que viví con el ciego, la tenía tan hecha bolsa, que me acaesció tener en ella doce o quince maravedís, todo en medias blancas, sin que me estorbase el comer, porque de otra manera no era señor de una blanca que el maldito ciego no cayese con ella, no dejando costura ni remiendo que no me buscaba muy a menudo.

---

[31] *trasgo:* duende.

Pues, ansí como digo, metía cada noche la llave en la boca y dormía sin recelo que el brujo de mi amo cayese con ella; mas cuando la desdicha ha de venir, por demás es diligencia. Quisieron mis hados, o por mejor decir mis pecados, que, una noche que estaba durmiendo, la llave se me puso en la boca, que abierta debía tener, de tal manera y postura, que el aire y resoplo que yo durmiendo echaba, salía por lo hueco de la llave, que de cañuto era, y silbaba, según mi desastre quiso, muy recio, de tal manera que el sobresaltado de mi amo lo oyó y creyó sin duda ser el silbo de la culebra, y, cierto, lo debía parescer.

Levantose muy paso, con su garrote en la mano, y, al tiento y sonido de la culebra, se llegó a mí con mucha quietud, por no ser sentido de la culebra. Y, como cerca se vio, pensó que allí en las pajas, do yo estaba echado, al calor mío se había venido. Levantando bien el palo, pensando tenerla debajo y darle tal garrotazo que la matase, con toda su fuerza me descargó en la cabeza un tan gran golpe, que sin ningún sentido y muy mal descalabrado me dejó.

Como sintió que me había dado, según yo debía hacer gran sentimiento con el fiero golpe, contaba él que se había llegado a mí, y, dándome grandes voces, llamándome, procuró recordarme [32]. Mas, como me tocase con las manos, tentó la mucha sangre que se me iba, y conosció el daño que me había hecho. Y con mucha priesa fue a buscar lumbre, y, llegando con ella, hallome quejando, todavía con mi llave en la boca, que nunca la desamparé, la mitad fuera, bien de aquella manera que debía estar al tiempo que silbaba con ella.

---

[32] *recordarme:* hacerme volver en mí.

Espantado el matador de culebras qué podría ser aquella llave, mirola sacándomela del todo de la boca, y vio lo que era, porque en las guardas nada de la suya diferenciaba. Fue luego a proballa, y con ella probó el maleficio. Debió de decir el cruel cazador: «El ratón y culebra que me daban guerra y me comían mi hacienda he hallado».

De lo que sucedió en aquellos tres días siguientes ninguna fe daré, porque los tuve en el vientre de la ballena, mas de cómo esto que he contado oí, después que en mí torné, decir a mi amo, el cual a cuantos allí venían lo contaba por extenso[33].

A cabo de tres días yo torné en mi sentido y vime echado en mis pajas, la cabeza toda emplastada y llena de aceites y ungüentos, y, espantado, dije:

—¿Qué es esto?

Respondiome el cruel sacerdote:

—A fe que los ratones y culebras que me destruían ya los he cazado.

Y miré por mí y vime tan maltratado, que luego sospeché mi mal.

A esta hora entró una vieja que ensalmaba[34], y los vecinos. Y comiénzanme a quitar trapos de la cabeza y curar el garrotazo. Y como me hallaron vuelto en mi sentido, holgáronse mucho y dijeron:

---

[33] Referencia a Jonás, que así estuvo tres días y tres noches (Jonás, 2, 1 y Mateo, 12, 40). La coherencia gramatical del sentido se articula sobre el núcleo *ninguna fe daré: de lo que sucedió... ninguna fe daré... mas [= sino, solamente] de cómo esto...*

[34] *ensalmaba:* los ensalmadores pretendían curar las más de las veces con ensalmos u oraciones, pero también combinaban con frecuencia la aplicación de ungüentos y otros remedios. De hecho, ésta que aquí aparece procedía así.

—Pues ha tornado en su acuerdo, placerá a Dios no será nada.

Ahí tornaron de nuevo a contar mis cuitas y a reírlas, y yo, pecador, a llorarlas. Con todo esto, diéronme de comer, que estaba transido de hambre, y apenas me pudieron demediar. Y ansí, de poco en poco, a los quince días me levanté y estuve sin peligro (mas no sin hambre) y medio sano.

Luego otro día que fui levantado, el señor mi amo me tomó por la mano y sacome la puerta fuera, y, puesto en la calle, díjome:

—Lázaro, de hoy más eres tuyo y no mío. Busca amo y vete con Dios, que yo no quiero en mi compañía tan diligente servidor. No es posible sino que hayas sido mozo de ciego.

Y santiguándose de mí, como si yo estuviera endemoniado, se torna a meter en casa y cierra su puerta.

TRACTADO TERCERO

CÓMO LÁZARO SE ASENTÓ CON UN ESCUDERO, Y DE LO QUE LE ACAESCIÓ CON ÉL

Desta manera me fue forzado sacar fuerzas de flaqueza y, poco a poco, con ayuda de las buenas gentes, di comigo en esta insigne ciudad de Toledo, adonde, con la merced de Dios, dende a quince días se me cerró la herida. Y mientras estaba malo, siempre me daban alguna limosna; mas, después que estuve sano, todos me decían:

—Tú, bellaco y gallofero [1] eres. Busca, busca un buen amo a quien sirvas.

—¿Y adonde se hallará ése —decía yo entre mí—, si Dios agora de nuevo, como crió el mundo, no le criase?

Andando así discurriendo de puerta en puerta, con harto poco remedio, porque ya la caridad se subió al cielo, topome Dios con un escudero que iba por la calle con razonable vestido, bien peinado, su paso y compás en orden. Mirome, y yo a él, y díjome:

—Mochacho, ¿buscas amo?

---

[1] *gallofero:* el pobretón que anda vagabundeando y solicita en las casas y conventos *gallofas* o mendrugos de pan.

Y yo le dije:

—Sí, señor.

—Pues vente tras mí —me respondió—, que Dios te ha hecho merced en topar comigo; alguna buena oración rezaste hoy.

Y seguile, dando gracias a Dios por lo que le oí, y también que me parescía, según su hábito y continente, ser el que yo había menester[2].

Era de mañana cuando este mi tercero amo topé, y llevome tras sí gran parte de la ciudad. Pasábamos por las plazas do se vendía pan y otras provisiones. Yo pensaba, y aun deseaba, que allí me quería cargar de lo que se vendía, porque ésta era propria hora cuando se suele proveer de lo necesario; mas muy a tendido paso pasaba por estas cosas.

«Por ventura no lo vee aquí a su contento —decía yo—, y querrá que lo compremos en otro cabo».

Desta manera anduvimos hasta que dio las once[3]. Entonces se entró en la iglesia mayor, y yo tras él, y muy devotamente le vi oír misa y los otros oficios divinos, hasta que todo fue acabado y la gente ida. Entonces salimos de la iglesia. A buen paso tendido comenzamos a ir por una calle abajo. Yo iba el más alegre del mundo en ver que no nos habíamos ocupado en buscar de comer. Bien consideré que debía ser hombre, mi nuevo amo, que se proveía en junto, y que ya la comida estaría a punto y tal como yo la deseaba y aun la había menester.

---

[2] Comienza aquí un proceso narrativo genial, estructurado sobre dos raíles: lo que Lázaro observa, y las consecuencias que entre esperanzas y decepciones, poco a poco, va deduciendo, hasta desenmascarar el engaño total.

[3] Nótese el cuidado con que el narrador va jalonando la temporalidad con el sonido de las horas: dio las once... dio la una...

En este tiempo dio el reloj la una después de mediodía, y llegamos a una casa, ante la cual mi amo se paró, y yo con él, y, derribando el cabo de la capa sobre el lado izquierdo, sacó una llave de la manga y abrió su puerta y entramos en casa, la cual tenía la entrada obscura y lóbrega, de tal manera que paresce que ponía temor a los que en ella entraban, aunque dentro della estaba un patio pequeño y razonables [4] cámaras.

Desque fuimos entrados, quita de sobre sí su capa, y, preguntando si tenía las manos limpias, la sacudimos y doblamos y, muy limpiamente [5], soplando un poyo que allí estaba, la puso en él. Y hecho esto, sentose cabo della, preguntándome muy por extenso de dónde era y cómo había venido a aquella ciudad. Y yo le di más larga cuenta que quisiera, porque me parescía más conveniente hora de mandar poner la mesa y escudillar [6] la olla que de lo que me pedía. Con todo eso, yo le satisfice de mi persona lo mejor que mentir supe, diciendo mis bienes y callando lo demás, porque me parescía no ser para en cámara [7]. Esto hecho, estuvo así un poco y yo luego vi mala señal, por ser ya casi las dos y no le ver más aliento de comer que a un muerto. Después desto, consideraba aquel tener cerrada la puerta con llave, ni sentir arriba ni abajo pasos de viva persona por la casa. Todo lo que yo había visto eran paredes, sin ver en ella silleta, ni tajo [8], ni banco, ni mesa,

---

[4] *razonables:* de tamaño razonable.

[5] La insistencia en el tema de la limpieza, a la par que contrasta con la absoluta pobreza —vacío de todo— del hidalgo, apunta hacia el conflicto de la limpieza de sangre, que enfrentaba a los grupos sociales.

[6] *escudillar la olla:* echar el caldo de la olla en cada escudilla.

[7] *no ser para en cámara:* no ser educado contar allí sus desastres.

[8] *tajo:* tronco de madera que puede servir para sentarse.

ni aun tal arcaz como el de marras. Finalmente, ella parecía casa encantada. Estando así, díjome:

—Tú, mozo, ¿has comido?

—No, señor —dije yo—, que aún no eran dadas las ocho cuando con Vuestra Merced encontré.

—Pues, aunque de mañana, yo había almorzado, y, cuando ansí como algo, hágote saber que hasta la noche me estoy ansí. Por eso, pásate como pudieres, que después cenaremos.

Vuestra Merced crea, cuando esto le oí, que estuve en poco de caer de mi estado[9], no tanto de hambre como por conocer de todo en todo la fortuna serme adversa. Allí se me representaron de nuevo mis fatigas y torné a llorar mis trabajos; allí se me vino a la memoria la consideración que hacía cuando me pensaba ir del clérigo, diciendo que, aunque aquél era desventurado y misero, por ventura toparía con otro peor. Finalmente, allí lloré mi trabajosa vida pasada y mi cercana muerte venidera. Y con todo, disimulando lo mejor que pude, le dije:

—Señor, mozo soy que no me fatigo mucho por comer, bendito Dios. Deso me podré yo alabar entre todos mis iguales por de mejor garganta, y ansí fui yo loado della hasta hoy día de los amos que yo he tenido.

—Virtud es ésa —dijo él—, y por eso te querré yo más, porque el hartar es de los puercos y el comer regladamente es de los hombres de bien.

«¡Bien te he entendido! —dije yo entre mí—. ¡Maldita tanta medicina y bondad como aquestos mis amos que yo hallo hallan en la hambre!».

---

[9] *caer de mi estado:* perder el conocimiento.

Púseme a un cabo del portal y saqué unos pedazos de pan del seno, que me habían quedado de los de por Dios [10]. Él, que vio esto, díjome:

—Ven acá, mozo. ¿Qué comes?

Yo llegueme a él y mostrele el pan. Tomome él un pedazo, de tres que eran, el mejor y más grande, y díjome:

—Por mi vida, que paresce éste buen pan.

—¡Y cómo agora —dije yo—, señor, es bueno!

—Sí, a fe —dijo él—. ¿Adonde lo hubiste? ¿Si es amasado de manos limpias?

—No sé yo eso —le dije—; mas a mí no me pone asco el sabor dello.

—Así plega a Dios —dijo el pobre de mi amo. Y, llevándolo a la boca, comenzó a dar en él tan fieros bocados, como yo en lo otro.

—¡Sabrosísimo pan está —dijo—, por Dios!

Y como le sentí de qué pie coxqueaba, dime priesa, porque le vi en disposición, si acababa antes que yo, se comediría a ayudarme [11] a lo que me quedase. Y con esto acabamos casi a una. Comenzó a sacudir con las manos unas pocas de migajas, y bien menudas, que en los pechos se le habían quedado, y entró en una camareta que allí estaba, y sacó un jarro desbocado y no muy nuevo, y, desque hubo bebido, convidóme con él. Yo, por hacer del continente, dije:

—Señor, no bebo vino.

—Agua es —me respondió—. Bien puedes beber.

Entonces tomé el jarro y bebí, no mucho, porque de sed no era mi congoja.

---

[10] *de los de por Dios:* de los obtenidos *pordioseando.*

[11] *se comediría a ayudarme:* se anticiparía a ayudarme, sin que yo se lo pidiese, comiendo lo que restaba.

Ansí estuvimos hasta la noche, hablando en cosas que me preguntaba, a las cuales yo le respondí lo mejor que supe. En este tiempo, metiome en la cámara donde estaba el jarro de que bebimos, y díjome:

—Mozo, párate allí, y verás cómo hacemos esta cama, para que la sepas hacer de aquí adelante.

Púseme de un cabo y él de otro, y hecimos la negra cama, en la cual no había mucho que hacer, porque ella tenía sobre unos bancos un cañizo, sobre el cual estaba tendida la ropa, que, por no estar muy continuada a lavarse, no parecía colchón, aunque servía dél, con harta menos lana que era menester. Aquél tendimos, habiendo cuenta de ablandalle, lo cual era imposible, porque de lo duro mal se puede hacer blando. El diablo del enjalma[12] maldita la cosa tenía dentro de sí, que, puesto sobre el cañizo, todas las cañas se señalaban, y parecían a lo proprio entrecuesto[13] de flaquísimo puerco. Y sobre aquel hambriento colchón, un alfámar[14] del mismo jaez, del cual el color yo no pude alcanzar. Hecha la cama y la noche venida, díjome:

—Lázaro, ya es tarde y de aquí a la plaza hay gran trecho. También en esta ciudad andan muchos ladrones, que, siendo de noche, capean[15]. Pasemos como podamos, y mañana, venido el día, Dios hará merced; porque yo, por estar solo, no estoy proveído; antes he comido estos días por allá fuera. Mas agora hacerlo hemos de otra manera.

---

[12] *enjalma:* la ropa que hacía de funda del colchón.

[13] *parecían a lo proprio entrecuesto:* parecían realmente un espinazo...

[14] *alfámar:* especie de manta.

[15] *capean:* roban las capas.

—Señor, de mí —dije yo— ninguna pena tenga vuestra merced, que bien sé pasar una noche y aún más, si es menester, sin comer.

—Vivirás más y más sano —me respondió—, porque, como decíamos hoy, no hay tal cosa en el mundo para vivir mucho que comer poco.

«Si por esa vía es —dije entre mí—, nunca yo moriré, que siempre he guardado esa regla por fuerza, y aun espero en mi desdicha tenella toda mi vida».

Y acostose en la cama, poniendo por cabecera las calzas y el jubón [16], y mandome echar a sus pies, lo cual yo hice; mas, maldito el sueño que yo dormí, porque las cañas y mis salidos huesos en toda la noche dejaron de rifar [17] y encenderse; que con mis trabajos, males y hambre, pienso que en mi cuerpo no había libra de carne, y también, como aquel día no había comido casi nada, rabiaba de hambre, la cual con el sueño no tenía amistad. Maldíjeme mil veces (Dios me lo perdone), y a mi ruin fortuna, allí, lo más de la noche; y lo peor, no osándome revolver por no despertalle, pedí a Dios muchas veces la muerte.

La mañana venida, levantámonos y comienza a limpiar y sacudir sus calzas y jubón y sayo y capa. ¡Y yo que le servía de pelillo! [18]. Y vísteseme muy a su placer, de espacio. Echele aguamanos, peinose y púsose su espada en el talabarte [19], y, al tiempo que la ponía, díjome:

---

[16] *calzas y jubón:* prenda que cubría muslos y piernas; el vestido ceñido que se ponía sobre la camisa y se ataba con agujetas.

[17] *rifar:* reñir.

[18] *servir de pelillo:* «hacer servicios de poca importancia».

[19] *talabarte:* cinturón de cuero que lleva pendientes los tiros de que cuelga la espada.

—¡Oh si supieses, mozo, qué pieza es ésta! No hay marco de oro[20] en el mundo por que yo la diese; más ansí ninguna de cuantas Antonio[21] hizo, no acertó a ponelle los aceros tan prestos como ésta los tiene.

Y sacola de la vaina y tentola con los dedos, diciendo:

—¿Vesla aquí? Yo me obligo con ella cercenar un copo de lana.

Y yo dije entre mí: «Y yo con mis dientes, aunque no son de acero, un pan de cuatro libras».

Tornola a meter y ciñósela, y un sartal de cuentas gruesas del talabarte. Y con un paso sosegado y el cuerpo derecho, haciendo con él y con la cabeza muy gentiles meneos, echando el cabo de la capa sobre el hombro y a veces so el brazo, y poniendo la mano derecha en el costado, salió por la puerta, diciendo:

—Lázaro, mira por la casa en tanto que voy a oír misa, y haz la cama y ve por la vasija de agua al río que aquí bajo está, y cierra la puerta con llave, no nos hurten algo, y ponla aquí al quicio, porque, si yo viniere en tanto, pueda entrar.

Y súbese por la calle arriba con tan gentil semblante y continente, que quien no le conosciera pensara ser muy cercano pariente al conde de Arcos[22], o, al menos, camarero que le daba de vestir.

---

[20] *marco de oro:* unos 2.400 maravedís.

[21] *Antonio:* el espadero que firma las espadas del rey Fernando el Católico y de Garcilaso de la Vega.

[22] Conde de Arcos: conjetura Morel-Fatio que Lázaro confunde con el conde de Arcos al conde Claros del romance «Media noche era por filo», famoso por su opulencia, y que acaso recordaba aquellos dos versos: «Levanta, mi camarero. / Dame vestir y calzar». Con todo, a fines del siglo xv hubo un real conde de Arcos.

«¡Bendito seáis vos. Señor, quedé yo diciendo, que dais la enfermedad y ponéis el remedio! ¿Quién encontrará a aquel mi señor que no piense, según el contento de sí lleva, haber anoche bien cenado y dormido en buena cama, y, aunque agora es de mañana, no le cuenten por bien almorzado? ¡Grandes secretos son, Señor, los que vos hacéis y las gentes ignoran! ¿A quién no engañará aquella buena disposición y razonable capa y sayo? ¿Y quién pensará que aquel gentil hombre se pasó ayer todo el día con aquel mendrugo de pan que su criado Lázaro trujo un día y una noche en el arca de su seno, do no se le podía pegar mucha limpieza; y hoy, lavándose las manos y cara, a falta de paño de manos, se hacía servir de la halda del sayo? Nadie por cierto lo sospechará. ¡Oh Señor, y cuántos de aquestos debéis vos tener por el mundo derramados, que padescen por la negra que llaman honra [23] lo que por vos no sufrirían!».

Ansí estaba yo a la puerta, mirando y considerando estas cosas, hasta que el señor mi amo traspuso la larga y angosta calle. Torneme a entrar en casa y en un credo la anduve toda, alto y bajo, sin hacer represa [24] ni hallar en qué. Hago la negra dura cama, y tomo el jarro, y doy comigo en el río, donde en una huerta vi a mi amo en gran recuesta [25] con dos rebozadas [26] mujeres, al parescer de las que en aquel lugar no hacen falta, antes muchas tienen por estilo de irse a las mañanicas del verano a re-

---

[23] *negra honra:* es expresión común en la época para calificar la obsesión por la opinión de los demás, que paraliza en el siglo XVI la voluntad individual y colectiva de los españoles.

[24] *sin hacer represa:* sin detenerme.

[25] *en gran recuesta:* requiriendo de amores.

[26] *rebozadas:* con el rostro casi tapado.

frescar y almozar sin llevar qué, por aquellas frescas riberas, con confianza que no ha de faltar quién se lo dé, según las tienen puestas en esta costumbre aquellos hidalgos del lugar.

Y como digo, él estaba entre ellas hecho un Macías [27], diciéndoles más dulzuras que Ovidio escribió [28]. Pero, como sintieron de él que estaba bien enternecido, no se les hizo de vergüenza pedirle de almorzar con el acostumbrado pago. Él, sintiéndose tan frío de bolsa cuanto caliente del estómago, tomole tal calofrío, que le robó la color del gesto, y comenzó a turbarse en la plática y a poner excusas no válidas. Ellas, que debían ser bien instituidas [29], como le sintieron la enfermedad, dejáronle para el que era [30].

Yo, que estaba comiendo ciertos tronchos de berzas, con los cuales me desayuné, con mucha diligencia, como mozo nuevo, sin ser visto de mi amo, torné a casa. De la cual pensé barrer alguna parte, que bien era menester;

---

[27] *Macías:* trovador gallego del siglo XIV que, según la leyenda, murió de amores y recibió por ello el sobrenombre de «el enamorado».

[28] *que Ovidio escribió:* en sus obras *Ars amandi, Remedia amoris,* etc.

[29] *instituidas:* instruidas.

[30] *para el que era,* algunos editores lo entienden como frase hecha en el sentido de «dejáronle despreciativamente como miserable que era» (Riquer). Propone Blecua interpretarlo «partiendo de los conceptos médicos iniciales»: «el estómago, caliente por naturaleza, al enfriarse de improviso, a causa de la frialdad de la bolsa, provoca la palidez. Ellas, que habían estudiado bien el oficio de médico amoroso, le conocieron la enfermedad —la pobreza— y le dejaron para que le curara el médico a quien correspondía sanar esta enfermedad y no la de la pasión amorosa»; creo que esta lectura, que me parece muy certera, debe ser completada con la especificación de que ese médico que debe curarle la enfermedad de la pobreza y el hambre es, precisamente, Lázaro, llamado, en paradoja, a dar de comer al hidalgo hambriento: «dejáronle para el que era», dice Lázaro, esto es, para mí.

mas no hallé con qué. Púseme a pensar qué haría, y paresciome esperar a mi amo hasta que el día demediase, y si viniese y por ventura trajese algo que comiésemos; mas en vano fue mi experiencia.

Desque vi ser las dos y no venía y la hambre me aquejaba, cierro mi puerta, y pongo la llave do mandó, y tórnome a mi menester. Con baja y enferma voz y inclinadas mis manos en los senos, puesto Dios ante mis ojos y la lengua en su nombre, comienzo a pedir pan por las puertas y casas más grandes que me parecía. Mas como yo este oficio le hubiese mamado en la leche, quiero decir que con el gran maestro, el ciego, lo aprendí, tan suficiente discípulo salí, que, aunque en este pueblo no había caridad, ni el año fuese muy abundante, tan buena maña me di, que, antes que el reloj diese las cuatro, ya yo tenía otras tantas libras de pan ensiladas[31] en el cuerpo, y más de otras dos en las mangas y senos. Volvime a la posada y, al pasar por la Tripería, pedí a una de aquellas mujeres y diome un pedazo de uña de vaca con otras pocas de tripas cocidas. Cuando llegué a casa, ya el bueno de mi amo estaba en ella, doblada su capa y puesta en el poyo, y él paseándose por el patio. Como entré, vínose para mí. Pensé que me quería reñir la tardanza; mas mejor lo hizo Dios[32].

Preguntome do venía. Yo le dije:

—Señor, hasta que dio las dos estuve aquí, y de que vi que vuestra merced no venía, fuime por esa ciudad a en-

---

[31] *ensiladas:* engullidas como trigo en silo.

[32] *mejor lo hizo Dios:* otra de las muchas expresiones que revelan el concepto utilitario que en el *Lazarillo* aparece: un Dios al servicio de Lázaro.

comendarme a las buenas gentes, y hanme dado esto que veis.

Mostrele el pan y las tripas, que en un cabo de la halda traía, a lo cual él mostró buen semblante, y dijo:

—Pues esperado te he a comer, y de que vi que no veniste, comí. Mas tú haces como hombre de bien en eso, que más vale pedillo por Dios que no hurtallo. Y ansí Él me ayude como ello me parece bien, y solamente te encomiendo no sepan que vives comigo por lo que toca a mi honra, aunque bien creo que será secreto, según lo poco que en este pueblo soy conoscido. ¡Nunca a él yo hubiera de venir!

—De eso pierda, señor, cuidado —le dije yo—, que maldito aquel que ninguno tiene de pedirme esa cuenta ni yo de dalla.

—Agora, pues, come, pecador[33], que, si a Dios place, presto nos veremos sin necesidad. Aunque te digo que, después que en esta casa entré, nunca bien me ha ido; debe ser de mal suelo, que hay casas desdichadas y de mal pie, que a los que viven en ellas pegan la desdicha. Ésta debe de ser sin dubda de ellas; mas yo te prometo, acabado el mes, no quede en ella, aunque me la den por mía.

Senteme al cabo del poyo y, porque no me tuviese por glotón, callé la merienda y comienzo a cenar y morder en mis tripas y pan, y disimuladamente miraba al desventurado señor mío, que no partía[34] sus ojos de mis faldas, que aquella sazón servían de plato. Tanta lástima haya Dios de mí como yo había dél, porque sentí lo que sentía, y muchas veces había por ello pasado y pasaba

---

[33] *pecador:* pobre.
[34] *partía:* apartaba.

cada día. Pensaba si sería bien comedirme a convidalle; mas, por me haber dicho que había comido, temíame no aceptaría el convite. Finalmente, yo deseaba que el pecador ayudase a su trabajo del mío, y se desayunase como el día antes hizo, pues había mejor aparejo, por ser mejor la vianda y menos mi hambre.

Quiso Dios cumplir mi deseo, y aun pienso que el suyo; porque, como comencé a comer y él se andaba paseando, llegose a mí y díjome:

—Dígote, Lázaro, que tienes en comer la mejor gracia que en mi vida vi a hombre, y que nadie te lo verá hacer que no le pongas gana, aunque no la tenga.

«La muy buena que tú tienes —dije yo entre mí— te hace parescer la mía hermosa».

Con todo, paresciome ayudarle, pues se ayudaba y me abría camino para ello, y díjele:

—Señor, el buen aparejo hace buen artífice. Este pan está sabrosísimo y esta uña de vaca tan bien cocida y sazonada, que no habrá a quien no convide con su sabor.

—¿Uña de vaca es?

—Sí, señor.

—Dígote que es el mejor bocado del mundo y que no hay faisán que así me sepa.

—Pues pruebe, señor, y verá qué tal está.

Póngole en las uñas la otra y tres o cuatro raciones de pan de lo más blanco. Y asentóseme al lado y comienza a comer como aquel que lo había gana, royendo cada huesecillo de aquéllos mejor que un galgo suyo lo hiciera.

—Con almodrote [35] —decía— es éste singular manjar.

---

[35] *almodrote:* salsa, que se hace con aceite, ajos, queso y otras cosas.

«¡Con mejor salsa lo comes tú!» [36], respondí yo paso.

—Por Dios, que me ha sabido como si no hubiera yo comido bocado.

«¡Ansí me vengan los buenos años como es ello!», dije yo entre mí.

Pidiome el jarro del agua y díselo como lo había traído. Es señal que, pues no le faltaba el agua, que no le había a mi amo sobrado la comida. Bebimos y muy contentos nos fuimos a dormir como la noche pasada.

Y, por evitar prolijidad, desta manera estuvimos ocho o diez días, yéndose el pecador en la mañana, con aquel contento y paso contado [37], a papar aire [38] por las calles, teniendo en el pobre Lázaro una cabeza de lobo [39].

Contemplaba yo muchas veces mi desastre, que, escapando de los amos ruines que había tenido y buscando mejoría, viniese a topar con quien no sólo no me mantuviese, mas a quien yo había de mantener. Con todo, le quería bien, con ver que no tenía ni podía más, y antes le había lástima que enemistad. Y muchas veces, por llevar a la posada con que él lo pasase, yo lo pasaba mal. Porque una mañana, levantándose el triste en camisa, subió a lo alto de la casa a hacer sus menesteres y, en tanto, yo, por salir de sospecha, desenvolvile el jubón y las calzas, que a la cabecera dejó, y hallé una bolsilla de terciopelo raso, hecha cien dobleces y sin maldita la blanca ni señal que

---

[36] Recuerda Rico al propósito el refrán «la mejor salsa es el hambre» que aparece ya en Cicerón.

[37] *contado:* bien acompasado.

[38] *papar aire:* «estar embelesado o sin hacer nada».

[39] *cabeza de lobo:* Covarrubias lo registra como «la ocasión que uno toma para aprovecharse, como el que mata un lobo, que, llevando la cabeza por los lugares de la comarca, le dan todos algo».

la hubiese tenido mucho tiempo. «Éste —decía yo—, es pobre, y nadie da lo que no tiene; mas el avariento ciego y el malaventurado mezquino clérigo, que, con dárselo Dios a ambos, al uno de mano besada [40] y al otro de lengua suelta, me mataban de hambre, aquéllos es justo desamar y aqueste es de haber mancilla [41]».

Dios es testigo que hoy día, cuando topo con alguno de su hábito con aquel paso y pompa, le he lástima con pensar si padece lo que aquél le vi sufrir; al cual, con toda su pobreza, holgaría de servir más que a los otros, por lo que he dicho. Sólo tenía de él un poco de descontento: que quisiera yo que no tuviera tanta presunción, mas que abajara un poco su fantasía con lo mucho que subía su necesidad. Mas, según me parece, es regla ya entre ellos usada y guardada: aunque no haya cornado de trueco [42], ha de andar el birrete en su lugar [43]. El Señor lo remedie, que ya con este mal han de morir.

Pues estando yo en tal estado, pasando la vida que digo, quiso mi mala fortuna, que de perseguirme no era satisfecha, que en aquella trabajada y vergonzosa vivienda [44] no durase. Y fue, como el año en esta tierra fuese estéril de pan, acordaron el Ayuntamiento que to-

---

[40] Recoge Correas esta anécdota: «un amo quiso poner a oficio su negro, y él, no agradándose de ningún trabajo, escogió el de cura, y dijo que quería el oficio de *besamano y dacá pan,* por la ofrenda que se usa dar al cura por las fiestas».

[41] *mancilla:* lástima.

[42] *cornado de trueco:* calderilla para el cambio.

[43] *ha de andar el birrete en su lugar:* birrete vale aquí como bonete o sombrero y alude al rígido protocolo que entonces estaba establecido en el orden de los saludos y al que poco más adelante se referirá el hidalgo.

[44] *vivienda:* aquí, manera de vivir.

dos los pobres estranjeros se fuesen de la ciudad, con pregón[45] que el que de allí adelante topasen fuese punido[46] con azotes. Y así, ejecutando la ley, desde a cuatro días que el pregón se dio, vi llevar una procesión de pobres azotando por las Cuatro Calles[47], lo cual me puso tan gran espanto, que nunca osé desmandarme a demandar.

Aquí viera, quien vello pudiera, la abstinencia de mi casa y la tristeza y silencio de los moradores de ella, tanto que nos acaesció estar dos o tres días sin comer bocado ni hablar palabra. A mí diéronme la vida unas mujercillas hilanderas de algodón, que hacían bonetes y vivían par de nosotros, con las cuales yo tuve vecindad y conocimiento; que de la lazeria que les traían, me daban alguna cosilla, con la cual, muy pasado[48], me pasaba. Y no tenía tanta lástima de mí como del lastimado de mi amo, que en ocho días maldito el bocado que comió. A lo menos en casa bien los estuvimos sin comer. No sé yo cómo o dónde andaba y qué comía. ¡Y velle venir a mediodía la calle abajo, con estirado cuerpo, más largo que galgo de buena casta![49]. Y por lo que tocaba a su ne-

---

[45] *con pregón:* anunciando mediante un pregón público.

[46] *punido:* castigado.

[47] *Cuatro Calles:* zona entre la catedral y Zocodover, donde vivían muchos judíos.

[48] *muy pasado:* «como la fruta pasa» (Menéndez Pidal).

[49] Facilitada por la rima, la comparación era muy frecuente y había cristalizado en un refrán: «Hidalgos y galgos, secos y cuellilargos», no hay que descartar que, como, sin afirmarlo, sugiere Rico, se insinúe aquí la condición de converso del escudero. Eran desde luego bastantes los que compraban hidalguías para evitar sospechas y, en este caso, el hecho de que hubiera emigrado de su tierra y de que Lázaro haga mención expresa de la «buena casta», parece confirmarlo: «Galgo flaco, cansado y muy hambriento, confeso triste...», llama una moza, en el *Tesoro de varias poesías,* de Pedro de Padilla, al pobre hidalgo que la corteja (Rico).

gra que dicen honra[50], tomaba una paja, de las que aun asaz no había en casa, y salía a la puerta escarbando los que nada entre sí tenían, quejándose todavía de aquel mal solar, diciendo:

—Malo está de ver, que la desdicha de esta vivienda lo hace. Como ves, es lóbrega, triste, obscura. Mientras aquí estuviéremos, hemos de padecer. Ya deseo se acabe este mes por salir de ella.

Pues estando en esta afligida y hambrienta persecución, un día, no sé por cuál dicha o ventura, en el pobre poder de mi amo entró un real, con el cual él vino a casa tan ufano como si tuviera el tesoro de Venecia, y con gesto muy alegre y risueño me lo dio, diciendo:

—Toma, Lázaro, que Dios ya va abriendo su mano. Ve a la plaza y merca pan y vino y carne: ¡quebremos el ojo al diablo![51]. Y más te hago saber, porque te huelgues: que he alquilado otra casa y en esta desastrada no hemos de estar más de en cumpliendo el mes. ¡Maldita sea ella y el que en ella puso la primera teja, que con mal en ella entré! Por nuestro Señor, cuanto ha que en ella vivo, gota de vino ni bocado de carne no he comido, ni he habido descanso ninguno; mas ¡tal vista tiene y tal obscuridad y tristeza! Ve y ven presto y comamos hoy como condes.

Tomo mi real y jarro y, a los pies dándoles priesa, comienzo a subir mi calle encaminando mis pasos para la plaza, muy contento y alegre. Mas ¿qué me aprovecha, si

---

[50] *tocaba a su negra que dicen honra:* más adelante, en el Tratado VII, el arcipreste de San Salvador establecerá una simetría clara con este lugar común —*lo que toca a la honra*—, recomendándole a Lázaro: «no mires lo que pueden decir, sino a lo que *te toca, digo a tu provecho*».

[51] *quebremos el ojo al diablo:* según Correas, «quiere decir hacer rabiar al enemigo, que lo es el diablo, teniendo algún bien o contento».

está constituido en mi triste fortuna que ningún gozo me venga sin zozobra? Y así fue éste. Porque, yendo la calle arriba, echando mi cuenta en lo que le emplearía que fuese mejor y más provechosamente gastado, dando infinitas gracias a Dios que a mi amo había hecho con dinero, a deshora me vino al encuentro un muerto, que por la calle abajo muchos clérigos y gente que en unas andas traían. Arrimeme a la pared por darles lugar, y, desque el cuerpo pasó, venía luego par del lecho una que debía ser su mujer del defunto, cargada de luto, y con ella otras muchas mujeres[52], la cual iba llorando a grandes voces y diciendo:

—Marido y señor mío, ¿adonde os me llevan? ¡A la casa triste y desdichada, a la casa lóbrega y obscura, a la casa donde nunca comen ni beben!

Yo, que aquello oí, juntóseme el cielo con la tierra, y dije:

«¡Oh desdichado de mí, para mi casa llevan este muerto!».

Dejo el camino que llevaba, y hendí por medio de la gente, y vuelvo por la calle abajo a todo el más correr que pude para mi casa, y entrando en ella, cierro a grande priesa, invocando el auxilio y favor de mi amo, abrazándome dél, que me venga ayudar y a defender la entrada. El cual, algo alterado, pensando que fuese otra cosa, me dijo:

—¿Qué es eso, mozo? ¿Qué voces das? ¿Qué has? ¿Por qué cierras la puerta con tal furia?

---

52 Se refiere, sin duda, a las endechaderas que iban en los entierros mezclando lloros, gritos y proclamas de la bondad del difunto. Hacían coro, como aquí mismo se ve, a la familia.

—¡Oh señor —dije yo—, acuda aquí, que nos traen acá un muerto!

—¿Cómo así? —respondió él.

—Aquí arriba lo encontré y venía diciendo su mujer: «Marido y señor mío, ¿adónde os llevan? ¡A la casa lóbrega y obscura, a la casa triste y desdichada, a la casa donde nunca comen ni beben!». Acá, señor, nos le traen.

Y ciertamente, cuando mi amo esto oyó, aunque no tenía por qué estar muy risueño, rió tanto, que muy gran rato estuvo sin poder hablar. En este tiempo tenía ya yo echada el aldaba a la puerta y puesto el hombro en ella por más defensa. Pasó la gente con su muerto y yo todavía me recelaba que nos le habían de meter en casa. Y desque fue ya más harto de reír que de comer, el bueno de mi amo díjome:

—Verdad es, Lázaro: según la viuda lo va diciendo, tú tuviste razón de pensar lo que pensaste; mas, pues Dios lo ha hecho mejor y pasan adelante, abre, abre y ve por de comer.

—Dejalos, señor, acaben de pasar la calle —dije yo.

Al fin vino mi amo a la puerta de la calle, y ábrela esforzándome, que bien era menester, según el miedo y alteración que tenía, y me torno a encaminar. Mas, aunque comimos bien aquel día, maldito el gusto yo tomaba en ello, ni en aquellos tres días torné en mi color. Y mi amo, muy risueño todas las veces que se le acordaba aquella mi consideración.

De esta manera estuve con mi tercero y pobre amo, que fue este escudero, algunos días, y en todos deseando saber la intención de su venida y estada en esta tierra, porque, desde el primer día que con él asenté, le conoscí ser estranjero, por el poco conoscimiento y trato que con los naturales della tenía. Al fin se cumplió mi deseo y supe lo que deseaba, porque un día que habíamos comido razonablemente y estaba algo contento, contome su hacienda [53] y díjome ser de Castilla la Vieja y que había dejado su tierra no más de por no quitar el bonete a un caballero su vecino.

—Señor —dije yo—, si él era lo que decís y tenía más que vos, no errábades en quitárselo primero, pues decís que él también os lo quitaba.

—Sí es y sí tiene, y también me lo quitaba él a mí; mas, de cuantas veces yo se le quitaba primero, no fuera malo comedirse él alguna y ganarme por la mano.

—Parésceme, señor —le dije yo—, que en eso no mirara, mayormente con mis mayores que yo y que tienen más.

—Eres mochacho —me respondió— y no sientes las cosas de honra, en que el día de hoy está todo el caudal de los hombres de bien. Pues hágote saber que yo soy, como ves, un escudero; mas ¡vótote a Dios!, si al conde topo en la calle y no me quita muy bien quitado del todo el bonete, que, otra vez que venga, me sepa yo entrar en una casa, fingiendo yo en ella algún negocio, o atravesar otra calle, si la hay, antes que llegue a mí, por no quitárselo: que un hidalgo no debe a otro que a Dios y al rey nada [54], ni es justo, siendo hombre de bien, se descuide un punto de tener en mucho su persona. Acuérdome que un día deshonré en mi tierra a un oficial [55] y quise poner en

---

[53] *hacienda:* aquí debe entenderse no sólo referido a las posesiones sino a toda su historia.

[54] Los hidalgos dependían directamente del rey.

[55] *oficial:* artesano, situado en la escala social por debajo del escudero.

él las manos, porque cada vez que le topaba, me decía: «Mantenga Dios a vuestra merced». «Vos, don villano ruin —le dije yo— ¿por qué no sois bien criado? "Manténgaos Dios", me habéis de decir, como si fuese quienquiera?». De allí adelante, de aquí acullá me quitaba el bonete y hablaba como debía.

—¿Y no es buena manera de saludar un hombre a otro —dije yo— decirle que le mantenga Dios?

—¡Mira, mucho de enhoramala! —dijo él—. A los hombres de poca arte dicen eso; mas a los más altos, como yo, no les han de hablar menos de: «Beso las manos de vuestra merced», o por lo menos: «Bésoos, señor, las manos», si el que me habla es caballero. Y ansí, de aquel de mi tierra que me atestaba de mantenimiento, nunca más le quise sufrir, ni sufriría ni sufriré a hombre del mundo, del rey abajo, que «Manténgaos Dios» me diga[56].

«Pecador de mí —dije yo—, por eso tiene tan poco cuidado de mantenerte, pues no sufres que nadie se lo ruegue».

—Mayormente —dijo— que no soy tan pobre que no tengo en mi tierra un solar de casas, que, a estar ellas en pie y bien labradas, diez y seis leguas de donde nací, en aquella Costanilla de Valladolid[57], valdrían más de docientas veces mil maravedís, según se podrían hacer grandes y buenas. Y tengo un palomar[58] que, a no estar derribado como está, daría cada año más de docientos palominos.

---

[56] En efecto, en los usos sociales castellanos del siglo XVI la fórmula «manténgaos Dios» era propia, tan sólo, de aldeanos y plebeyos, prefiriéndose en la Corte la de «beso las manos de vuestra merced».

[57] *Costanilla de Valladolid:* calle principal cercana a la actual de Platerías. Era muy conocida como lugar de asentamiento de judíos ricos.

[58] Los hidalgos disfrutaban del privilegio de un *derecho de palomar* como fuente propia y rentable de ingresos.

Y otras cosas que me callo, que dejé por lo que tocaba a mi honra. Y vine a esta ciudad pensando que hallaría un buen asiento; mas no me ha sucedido como pensé. Canónigos y señores de la iglesia muchos hallo; mas es gente tan limitada que no los sacarán de su paso todo el mundo. Caballeros de media talla también me ruegan; mas servir a éstos es gran trabajo, porque de hombre os habéis de convertir en malilla[59], y, si no, «Anda con Dios» os dicen. Y las más veces son los pagamentos a largos plazos, y las más ciertas, comido por servido. Ya, cuando quieren reformar consciencia y satisfaceros vuestros sudores, sois librado[60] en la recámara, en un sudado jubón o raída capa o sayo. Ya, cuando asienta un hombre con un señor de título, todavía pasa su lazeria. Pues, por ventura, ¿no hay en mí habilidad para servir y contentar a éstos? Por Dios, si con él topase, muy gran su privado pienso que fuese, y que mil servicios le hiciese, porque yo sabría mentille tan bien como otro y agradalle a las mil maravillas. Reílle hía mucho sus donaires y costumbre, aunque no fuesen las mejores de mundo; nunca decirle cosa con que le pesase, aunque mucho le cumpliese; ser muy diligente en su persona en dicho y hecho; no me matar por no hacer bien las cosas que él no había de ver, y ponerme a reñir, donde él lo oyese, con la gente de servicio, porque pareciese tener gran cuidado de lo que a él tocaba. Si reñiese con algún su criado, dar unos puntillos agudos para le encender la ira y que pareciesen en favor del culpado; decirle bien de lo que bien le estuviese y, por el contrario, ser malicioso mofador, malsinar[61] a los

---

[59] *malilla:* comodín en los naipes.

[60] *sois librado:* os hacen libramiento o pago.

[61] *malsinar:* acusar, hablar mal de alguna cosa con dañina intención.

de casa y a los de fuera, pesquisar y procurar de saber vidas ajenas para contárselas, y otras muchas galas de esta calidad que hoy día se usan en palacio y a los señores de él parescen bien; y no quieren ver en sus casas hombres virtuosos, antes los aborrescen y tienen en poco y llaman necios y que no son personas de negocios, ni con quien el señor se puede descuidar. Y con éstos los astutos usan, como digo, el día de hoy, de lo que yo usaría; mas no quiere mi ventura que le halle.

Desta manera lamentaba también [62] su adversa fortuna mi amo, dándome relación de su persona valerosa [63].

Pues, estando en esto, entró por la puerta un hombre y una vieja. El hombre le pide el alquiler de la casa y la vieja el de la cama. Hacen cuenta, y, de dos en dos meses [64], le alcanzaron lo que él en un año no alcanzara. Pienso que fueron doce o trece reales. Y él les dio muy buena respuesta: que saldría a la plaza a trocar una pieza de a dos [65] y que a la tarde volviesen; mas su salida fue sin vuelta.

Por manera que a la tarde ellos volvieron; mas fue tarde. Yo les dije que aún no era venido. Venida la noche y él no, yo hube miedo de quedar en casa solo, y fuime a las vecinas y conteles el caso y allí dormí. Venida la mañana, los acreedores vuelven y preguntan por el vecino; mas... a estotra puerta [66]. Las mujeres le responden:

---

[62] Al igual que el propio Lázaro.

[63] No hace falta subrayar la cruel ironía que supone el calificativo de *valerosa,* tras el enunciado de las bajezas que el escudero se declara pronto a cometer. Con todo, el término debe ponerse en relación con el anterior *contome su hacienda.*

[64] *de dos en dos meses:* en recibos bimestrales de alquiler.

[65] *pieza de a dos:* dos castellanos de oro. Equivalía a unos 30 reales.

[66] Correas documenta: «A esotra puerta, que ésa no se abre».

—Veis aquí su mozo y la llave de la puerta.

Ellos me preguntaron por él, y díjele que no sabía adonde estaba y que tampoco había vuelto a casa desque salió a trocar la pieza, y que pensaba que de mí y de ellos se había ido con el trueco.

De que esto me oyeron, van por un alguacil y un escribano. Y helos do vuelven luego con ellos, y toman la llave, y llámanme, y llaman testigos, y abren la puerta, y entran a embargar la hacienda de mi amo hasta ser pagados de su deuda. Anduvieron toda la casa y halláronla desembarazada, como he contado, y dícenme:

—¿Qué es de la hacienda de tu amo, sus arcas y paños de pared y alhajas de casa?

—No sé yo eso —le respondí.

—Sin duda —dicen ellos— esta noche lo deben de haber alzado y llevado a alguna parte. Señor alguacil, prended a este mozo, que él sabe dónde está.

En esto vino el alguacil y echome mano por el collar del jubón, diciendo:

—Mochacho, tú eres preso si no descubres los bienes deste tu amo.

Yo, como en otra tal no me hubiese visto (porque asido del collar si había sido muchas veces y infinitas veces, mas era mansamente de él trabado, para que mostrase el camino al que no vía), yo hube mucho miedo y, llorando, prometile de decir lo que me preguntaban.

—Bien está —dicen ellos—. Pues di todo lo que sabes y no hayas temor.

Sentose el escribano en un poyo para escrebir el inventario, preguntándome qué tenía.

—Señores —dije yo—, lo que este mi amo tiene, según él me dijo, es un muy buen solar de casas y un palomar derribado.

—Bien está —dicen ellos—; por poco que eso valga, hay para nos entregar de la deuda. ¿Y a qué parte de la ciudad tiene eso? —me preguntaron.

—En su tierra —les respondí.

—Por Dios, que está bueno el negocio —dijeron ellos—. ¿Y adónde es su tierra?

—De Castilla la Vieja me dijo él que era —le dije.

Riéronse mucho el alguacil y el escribano, diciendo:

—Bastante relación es ésta para cobrar vuestra deuda, aunque mejor fuese.

Las vecinas, que estaban presentes, dijeron:

—Señores, éste es un niño inocente y ha pocos días que está con ese escudero y no sabe dél más que vuestras mercedes, sino cuánto el pecadorcico se llega aquí a nuestra casa, y le damos de comer lo que podemos por amor de Dios, y a las noches se iba a dormir con él.

Vista mi inocencia, dejáronme, dándome por libre. Y el alguacil y el escribano piden al hombre y a la mujer sus derechos. Sobre lo cual tuvieron gran contienda y ruido, porque ellos alegaron no ser obligados a pagar, pues no había de qué ni se hacía el embargo. Los otros decían que habían dejado de ir a otro negocio que les importaba más por venir a aquél.

Finalmente, después de dadas muchas voces, al cabo carga un porquerón [67] con el viejo alfámar de la vieja, aunque no iba muy cargado. Allá van todos cinco dando

---

[67] *porquerón:* según *Covarrubias,* «el corchete o ministro de justicia que prende los delincuentes y los lleva agarrados a la cárcel».

voces. No sé en qué paró. Creo yo que el pecador alfámar pagara por todos. Y bien se empleaba, pues el tiempo que había de reposar y descansar de los trabajos pasados, se andaba alquilando.

Así como he contado, me dejó mi pobre tercero amo, do acabé de conocer mi ruin dicha, pues, señalándose todo lo que podía contra mí, hacía mis negocios tan al revés, que los amos, que suelen ser dejados de los mozos, en mí no fuese ansí, mas que mi amo me dejase y huyese de mí.

TRACTADO CUARTO

CÓMO LÁZARO SE ASENTÓ CON UN FRAILE DE LA MERCED, Y DE LO QUE LE ACAESCIÓ CON ÉL

Hube de buscar el cuarto, y éste fue un fraile de la Merced [1], que las mujercillas que digo me encaminaron, al cual ellas le llamaban pariente. Gran enemigo del coro y de comer en el convento, perdido por andar fuera, amicísimo de negocios seglares y visitar, tanto que pienso que rompía él más zapatos [2] que todo el convento. Éste me dio los primeros zapatos que rompí en mi vida [3];

---

[1] No es casual que la acusación tradicional de vida disoluta de los frailes se concrete aquí en un mercedario. En efecto, en la primera mitad del siglo XVI la animadversión a los de la Merced era generalizada. En el *Viaje de Turquía,* por ejemplo, se les acusa de aprovecharse de las limosnas que se les daban para redimir cautivos. Otros testimonios pueden verse en mi *Nueva lectura,* págs. 178 y sigs.

[2] *romper zapatos:* se introduce aquí una clara alusión sexual. El Caballero de los Espejos dice en el *Quijote:* «vale más el zapato descosido y sucio de la señora Dulcinea del Toboso que las barbas mal peinadas, aunque limpias de Casildea», donde *zapato* es el órgano sexual femenino y *barbas* el vello del pubis.

[3] Éste me proporcionó la primera ocasión de experiencia sexual con mujer.

mas no me duraron ocho días, ni yo pude con su trote [4] durar más. Y por esto, y por otras cosillas [5] que no digo, salí dél.

---

[4] *trote:* frecuencia de experiencias eróticas. Persona de trote o trotera designa tanto a la que se dedica a la prostitución como a la que busca o alcahueta.

[5] *cosillas:* Bataillon sugirió interpretarlo como posibles abusos deshonestos del fraile con el muchacho —«deja sospechar lo peor»—; pero cabe entenderlo más ampliamente en el contexto de lo indicado. Pedro Manuel de Urrea recoge un villancico que dice: «Viuda huelga en Zaragoza / más que casada ni moza / cada cual dellas retoza / con mil *cosillas* que sé».

TRACTADO QUINTO

CÓMO LÁZARO SE ASENTÓ CON UN BULDERO [1], Y DE LAS COSAS QUE CON ÉL PASÓ

En el quinto por mi ventura di, que fue un buldero, el más desenvuelto y desvergonzado, y el mayor echador dellas [2] que jamás yo vi ni ver espero, ni pienso nadie vio, porque tenía y buscaba modos y maneras y muy sotiles invenciones.

En entrando en los lugares do habían de presentar la bula [3], primero presentaba a los clérigos o curas algunas cosillas, no tampoco [4] de mucho valor ni substancia: una lechuga murciana; si era por el tiempo, un par de limas o

---

[1] *buldero:* clérigo encargado de propagar, en calidad de comisario, las bulas de la Santa Cruzada y recaudar el estipendio de ellas.

[2] *dellas:* de las bulas.

[3] *presentar la bula:* en una ceremonia solemne el comisario de la Santa Cruzada —familiarmente, el buldero— predicaba en la iglesia las excelencias espirituales de la bula. En uno de sus juegos habituales de palabras, Lázaro relaciona el *presentar* la bula con el *presentar* a los curas del lugar regalillos para bienquistárselos.

[4] *no tampoco:* ¿se insinúa aquí que *tampoco* la bula tiene mucho valor ni substancia? Así lo cree Rumeau. Pero cabría tal vez interpretarlo en el sentido de *«no se crea que* de mucho valor ni substancia».

naranjas, un melocotón, un par de duraznos, cada sendas peras verdiniales[5]. Ansí procuraba tenerlos propicios, porque favoresciesen su negocio y llamasen sus feligreses a tomar la bula. Ofreciéndosele a él las gracias, informábase de la suficiencia de ellos[6]. Si decían que entendían, no hablaba palabra en latín por no dar tropezón, mas aprovechábase de un gentil y bien cortado romance y desenvoltísima lengua. Y si sabía que los dichos clérigos eran de los reverendos, digo que más con dineros que con letras y con reverendas[7] se ordenan, hacíase entre ellos un santo Tomás y hablaba dos horas en latín; a lo menos que lo parescía, aunque no lo era.

Cuando por bien no le tomaban las bulas, buscaba cómo por mal se las tomasen, y para aquello hacía molestias al pueblo, y otras veces con mañosos artificios. Y porque todos los que le veía hacer sería largo de contar, diré uno muy sotil y donoso, con el cual probaré bien su suficiencia.

En un lugar de la Sagra de Toledo[8] había predicado dos o tres días, haciendo sus acostumbradas diligencias, y no le habían tomado bula ni, a mi ver, tenían intención de se la tomar. Estaba dado al diablo con aquello y, pen-

---

[5] *verdiniales:* de color verde.

[6] Cuando le daban las gracias, aprovechaba para percatarse de la formación que los clérigos o curas tenían. No hay que descartar la doble intención en el uso del término *gracias:* la bula, que ofrecía a los fieles gracias sobrenaturales, reportaba al buldero gracias materiales.

[7] *reverendas:* nombre con el que familiarmente se denominaba a las cartas dimisorias con las que el obispo a cuya jurisdicción pertenece un aspirante a clérigo autoriza a otro para que le confiera órdenes sagradas. Esto se prestaba, con frecuencia, a abusos por los que gente no preparada alcanzaba la condición de clérigo.

[8] Región al nordeste de Toledo.

sando qué hacer, se acordó de convidar al pueblo, para otro día de mañana despedir la bula. Y esa noche, después de cenar, pusiéronse a jugar la colación[9] él y el alguacil, y sobre el juego vinieron a reñir y a haber malas palabras. Él llamó al alguacil ladrón y el otro a él falsario. Sobre esto, el señor comisario, mi señor, tomó un lanzón que en el portal do jugaban estaba. El alguacil puso mano a su espada, que en la cinta tenía. Al ruido y voces que todos dimos, acuden los huéspedes y vecinos, y métense en medio. Y ellos, muy enojados, procurándose de desembarazar de los que en medio estaban, para se matar. Mas como la gente al gran ruido cargase y la casa estuviese llena de ella, viendo que no podían afrentarse con las armas, decíanse palabras injuriosas, entre las cuales el alguacil dijo a mi amo que era falsario y las bulas que predicaba eran falsas.

Finalmente, que los del pueblo, viendo que no bastaban a ponellos en paz, acordaron de llevar al alguacil de la posada a otra parte. Y así quedó mi amo muy enojado. Y después que los huéspedes y vecinos le hubieron rogado que perdiese el enojo y se fuese a dormir, se fue, y así nos echamos todos.

La mañana venida, mi amo se fue a la iglesia y mandó tañer a misa y al sermón para despedir la bula. Y el pueblo se juntó, el cual andaba murmurando de las bulas, diciendo cómo eran falsas y que el mesmo alguacil, riñendo, lo había descubierto. De manera que, atrás que tenían mala gana de tomalla, con aquello del todo la aborrescieron.

---

[9] *colación:* según *Covarrubias,* «solían dar, después de la cena, antes de irse a acostar, una colación de confituras para beber».

El señor comisario se subió al pulpito, y comienza su sermón, y a animar la gente a que no quedase sin tanto bien y indulgencia como la sancta bula traía.

Estando en lo mejor del sermón, entra por la puerta de la iglesia el alguacil y, desque hizo oración, levantóse y, con voz alta y pausada, cuerdamente comenzó a decir:

—Buenos hombres, oídme una palabra, que después oiréis a quien quisierdes. Yo vine aquí con este echacuervo [10] que os predica, el cual me engañó y dijo que le favoresciese en este negocio, y que partiríamos la ganancia. Y agora, visto el daño que haría a mi consciencia y a vuestras haciendas, arrepentido de lo hecho, os declaro claramente que las bulas que predica son falsas, y que no le creáis ni las toméis, y que yo, *directe* ni *indirecte,* no soy parte en ellas, y que desde agora dejo la vara [11] y doy con ella en el suelo. Y si en algún tiempo éste fuere castigado por la falsedad, que vosotros me seáis testigos cómo yo no soy con él ni le doy a ello ayuda, antes os desengaño y declaro su maldad.

Y acabó su razonamiento. Algunos hombres honrados que allí estaban se quisieron levantar y echar al alguacil fuera de la iglesia, por evitar escándalo. Mas mi amo les fue a la mano y mandó a todos que, so pena de excomunión, no le estorbasen, mas que le dejasen decir todo lo

---

[10] *echacuervo*: según *Covarrubias,* «los que con embelecos y mentiras engañan los simples por vender sus ungüentos... y otras cosas que dicen tener grandes virtudes naturales». Originariamente, debió de significar «exorcista fraudulento». Así lo señala Rico, que aduce un testimonio coetáneo a la época de redacción del *Lazarillo:* el diablo suele ser nombrado como cuervo; «y aquel que las bulas mintiendo predica / echa los cuervos de la ánima ajena / y la suya misma está dellos llena. / Que de otros los echa y a sí los aplica».

[11] Símbolo del oficio de justicia.

que quisiese. Y ansí, él también tuvo silencio, mientras el alguacil dijo todo lo que he dicho. Como calló, mi amo le preguntó si quería decir más, que lo dijese. El alguacil dijo:

—Harto más hay que decir de vos y de vuestra falsedad; mas por agora basta.

El señor comisario se hincó de rodillas en el púlpito y, puestas las manos [12] y mirando al cielo, dijo ansí:

—Señor Dios, a quien ninguna cosa es escondida, antes todas manifiestas, y a quien nada es imposible, antes todo posible: Tú sabes la verdad y cuán injustamente yo soy afrentado. En lo que a mí toca, yo le perdono, porque Tú, Señor, me perdones. No mires a aquél, que no sabe lo que hace ni dice; mas la injuria a ti hecha te suplico y por justicia te pido no disimules. Porque alguno que está aquí, que por ventura pensó tomar aquesta sancta bula, dando crédito a las falsas palabras de aquel hombre, lo dejará de hacer. Y pues es tanto perjuicio del prójimo, te suplico yo, Señor, no lo disimules; mas luego muestra aquí milagro, y sea desta manera: que, si es verdad lo que aquél dice y que yo traigo maldad y falsedad, este púlpito se hunda comigo y meta siete estados [13] debajo de tierra, do él ni yo jamás parezcamos; y, si es verdad lo que yo digo, y aquél, persuadido del demonio, por quitar y privar a los que están presentes de tan gran bien, dice maldad, también sea castigado y de todos conoscida su malicia.

Apenas había acabado su oración el devoto señor mío, cuando el negro alguacil cae de su estado y da tan gran

---

[12] *puestas las manos:* con las manos juntas.

[13] *estado:* unidad de medida, semejante a la altura media de un hombre. Los pozos y hondonadas solían medirse en estados.

golpe en el suelo, que la iglesia toda hizo resonar, y comenzó a bramar y echar espumajos por la boca y torcella, y hacer visajes con el gesto, dando de pie y de mano, revolviéndose por aquel suelo a una parte y a otra.

El estruendo y voces de la gente era tan grande, que no se oían unos a otros. Algunos estaban espantados y temerosos. Unos decían: «El Señor le socorra y valga». Otros: «Bien se le emplea, pues le levantaba tan falso testimonio».

Finalmente, algunos que allí estaban, y a mi parescer no sin harto temor, se llegaron y le trabaron de los brazos, con los cuales daba fuertes puñadas a los que cerca de él estaban. Otros le tiraban por las piernas y tuvieron reciamente, porque no había mula falsa en el mundo que tan recias coces tirase. Y así le tuvieron un gran rato, porque más de quince hombres estaban sobre él y a todos daba las manos llenas [14] y, si se descuidaban, en los hocicos.

A todo esto, el señor mi amo estaba en el púlpito de rodillas, las manos y los ojos puestos en el cielo, transportado en la divina esencia, que el planto y ruido y voces que en la iglesia había, no eran parte para apartalle de su divina contemplación.

Aquellos buenos hombres llegaron a él y dando voces le despertaron y le suplicaron quisiese socorrer a aquel pobre, que estaba muriendo, y que no mirase a las cosas pasadas ni a sus dichos malos, pues ya dellos tenía el pago; mas, si en algo podría aprovechar para librarle del peligro y pasión que padecía, por amor de Dios lo hiciese, pues ellos veían clara la culpa del culpado y la verdad y bon-

---

[14] *dar las manos llenas:* dar con gran abundancia.

dad suya, pues a su petición y venganza el Señor no alargó el castigo.

El señor comisario, como quien despierta de un dulce sueño, los miró y miró al delincuente y a todos los que alrededor estaban, y muy pausadamente les dijo:

—Buenos hombres, vosotros nunca habíades de rogar por un hombre en quien Dios tan señaladamente se ha señalado; mas, pues Él nos manda que no volvamos mal por mal y perdonemos las injurias, con confianza podremos suplicarle que cumpla lo que nos manda, y su Majestad perdone a éste, que le ofendió poniendo en su sancta fe obstáculo. Vamos todos a suplicalle.

Y, así, bajó del púlpito y encomendó a que muy devotamente suplicasen a nuestro Señor tuviese por bien de perdonar a aquel pecador y volverle en su salud y sano juicio y lanzar de él el demonio, si su Majestad había permitido que por su gran pecado en él entrase.

Todos se hincaron de rodillas, y delante del altar, con los clérigos, comenzaban a cantar con voz baja una letanía; y viniendo él con la cruz y agua bendita, después de haber sobre él cantado, el señor mi amo, puestas las manos al cielo y los ojos que casi nada se le parecía sino un poco de blanco, comienza una oración no menos larga que devota, con la cual hizo llorar a toda la gente, como suelen hacer en los sermones de Pasión de predicador y auditorio devoto [15], suplicando a nuestro Señor, pues no quería la

---

[15] Con la llegada del movimiento espiritual de la *devotio moderna,* en frase de Ortega, «la religión se hizo devoción»; se intensificaba la búsqueda de afectos con apoyo en los misterios de la Humanidad de Cristo, sobre todo de su Pasión. Tal costumbre fue especialmente reprobada y combatida por Erasmo, quien postulaba una religiosidad más interior y depurada.

muerte del pecador, sino su vida y arrepentimiento [16], que aquel encaminado por el demonio y persuadido de la muerte y pecado le quisiese perdonar y dar vida y salud, para que se arrepintiese y confesase sus pecados.

Y esto hecho, mandó traer la bula y púsosela en la cabeza. Y luego el pecador del alguacil comenzó poco a poco a estar mejor y tornar en sí. Y desque fue bien vuelto en su acuerdo, echose a los pies del señor comisario y, demandándole perdón, confesó haber dicho aquello por la boca y mandamiento del demonio; lo uno, por hacer a él daño y vengarse del enojo; lo otro, y más principal, porque el demonio recibía mucha pena del bien que allí se hiciera en tomar la bula.

El señor mi amo le perdonó y fueron hechas las amistades entre ellos. Y a tomar la bula hubo tanta priesa, que casi ánima viviente en el lugar no quedó sin ella: marido y mujer, y hijos y hijas, mozos y mozas.

Divulgose la nueva de lo acaescido por los lugares comarcanos y, cuando a ellos llegábamos, no era menester sermón ni ir a la iglesia, que a la posada la venían a tomar, como si fueran peras que se dieran de balde. De manera que en diez o doce lugares de aquellos alrededores donde fuimos, echó el señor mi amo otras tantas mil bulas sin predicar sermón.

Cuando se hizo el ensayo, confieso mi pecado, que también fui dello espantado, y creí que ansí era, como otros muchos; mas con ver después la risa y burla que mi amo y el alguacil llevaban y hacían del negocio, conocí

---

[16] Cita del profeta Ezequiel, 33, 11 —«Dice el Señor: no quiero la muerte del impío sino que se convierta y viva»— recogida en varias oraciones litúrgicas de uso frecuente.

cómo había sido industriado por el industrioso y inventivo de mi amo.

LA EDICIÓN DE ALCALÁ AÑADE:

Acaescionos en otro lugar, el cual no quiero nombrar por su honra, lo siguiente: y fue que mi amo predicó dos o tres sermones, y dó a Dios[17] *la bula tomaban. Visto por el astuto de mi amo lo que pasaba y que, aunque decía se fiaban por un año, no aprovechaba, y que estaban tan rebeldes en tomarla y que su trabajo era perdido, hizo tocar las campanas para despedirse y, hecho su sermón y despedido desde el púlpito, ya que se quería abajar, llamó al escribano y a mí, que iba cargado con unas alforjas, e hízonos llegar al primer escalón; y tomó al alguacil las que en las manos llevaba, y las que yo tenía en las alforjas púsolas junto a sus pies, y tornose a poner en el púlpito con cara alegre, y arrojar desde allí de diez en diez y de veinte en veinte de sus bulas, hacia todas partes, diciendo:*

—Hermanos míos, tomad, tomad de las gracias que Dios os envía hasta vuestras casas, y no os duela, pues es obra tan pía la redención de los captivos cristianos que están en tierra de moros. Porque no renieguen nuestra santa fe y vayan a las penas del infierno, siquiera ayudaldes con vuestra limosna y con cinco Pater nostres y cinco Ave marías, para que salgan de cautiverio. Y aun

---

[17] *dó a Dios:* contrahechura de la frase habitual «doy al diablo», con sentido de «maldito el caso que le hacían». Al tratarse de una cosa santa, la versión sería aquí: «bendito el caso que le hacían».

también aprovechan para los padres y hermanos y deudos que tenéis en el Purgatorio, como lo veréis en esta sancta bula.

Como el pueblo las vio ansí arrojar, como cosa que se daba de balde, y ser venida de la mano de Dios, tomaban a más tomar, aun para los niños de la cuna y para todos sus defunctos, contando desde los hijos hasta el menor criado que tenían, contándolos por los dedos. Vímonos en tanta priesa, que a mí aínas[18] *me acabaran de romper un pobre y viejo sayo que traía, de manera que certifico a Vuestra Merced que en poco más de un hora no quedó bula en las alforjas y fue necesario ir a la posada por más.*

Acabados de tomar todos, dijo mi amo desde el púlpito a su escribano y al del concejo que se levantasen, y para que se supiese quién eran los que habían de gozar de la sancta indulgencia y perdones de la sancta bula y para que él diese buena cuenta a quien le había enviado, se escribiesen. Y así, luego todos de muy buena voluntad decían las que habían tomado, contando por orden los hijos e criados y defunctos.

Hecho su inventario, pidió a los alcaldes que, por caridad, porque él tenía que hacer en otra parte, mandasen al escribano le diese autoridad del inventario y memoria de las que allí quedaban, que, según decía el escribano, eran más de dos mil.

Hecho esto, él se despidió con mucha paz y amor, y ansí nos partimos de este lugar. Y aun antes que nos partiésemos, fue preguntado él por el teniente cura del lugar y por los regidores si la bula aprovechaba para las

---

[18] *aínas:* con rapidez.

criaturas que estaban en el vientre de sus madres. A lo cual él respondió que, según las letras que él había estudiado, que no, que lo fuesen a preguntar a los doctores más antiguos que él, e que esto era lo que sentía en este negocio. E ansí nos partimos, yendo todos muy alegres del buen negocio. Decía mi amo al alguacil y escribano:

—¿Qué os parece cómo a estos villanos, que con sólo decir cristianos viejos somos, *sin hacer obras de caridad, se piensan salvar, sin poner nada de su hacienda? Pues, ¡por vida del licenciado Pascasio Gómez, que a su costa se saquen más de diez cautivos!*

Y ansí nos fuimos hasta otro lugar de aquel cabo de Toledo, hacia la Mancha que se dice, adonde topamos otros más obstinados en tomar bulas. Hechas, mi amo y los demás que íbamos, nuestras diligencias, en dos fiestas que allí estuvimos no se habían echado treinta bulas. Visto por mi amo la gran perdición y la mucha costa que traía, y el ardideza que el sotil de mi amo tuvo para hacer despender sus bulas, fue que este día dijo la misa mayor y, después de acabado el sermón y vuelto al altar, tomó una cruz que traía, de poco más de un palmo, y en un brasero de lumbre que encima del altar había, el cual habían traído para calentarse las manos porque hacía gran frío, púsole detrás del misal, sin que nadie mirase en ello; y allí, sin decir nada, puso la cruz encima la lumbre y, ya que hubo acabado la misa y echada la bendición, tomóla con un pañizuelo, bien envuelta la cruz en la mano derecha y en la otra la bula y ansí se bajó hasta la postrera grada del altar, adonde hizo que besaba la cruz. Y hizo señal que viniesen adorar la cruz. Y ansí vinieron los alcaldes los primeros y los más ancianos del lugar, viniendo uno a uno como se usa. Y el primero que llegó, que era un alcalde viejo, aunque él le dio a besar la cruz bien delicadamente, se abrasó los rostros e se quitó presto afuera. Lo cual visto por mi amo, le dijo:

—¡Paso quedo, señor alcalde! ¡Milagro!

Y ansí hicieron otros siete u ocho, y a todos les decía:

—¡Paso, señores! ¡Milagro!

Cuando él vido que los rostriquemados bastaban para testigos del milagro, no la quiso dar más a besar. Subiose al pie del altar y de allí decía cosas maravillosas, diciendo que por la poca caridad que había en ellos había Dios permitido aquel milagro, y que aquella cruz había de ser llevada a la sancta iglesia mayor de su obispado; que por la poca caridad que en el pueblo había la cruz ardía.

Fue tanta la prisa que hubo en el tomar de la bula, que no bastaban dos escribanos ni los clérigos ni sacristanes a escribir. Creo de cierto que se tomaron más de tres mil bulas, como tengo dicho a Vuestra Merced.

Después, al partir él, fue con gran reverencia, como es razón, a tomar la sancta cruz, diciendo que la había de hacer engastonar en oro, como era razón. Fue rogado mucho del concejo y clérigos del lugar les dejase allí aquella sancta cruz, por memoria del milagro allí acaescído. Él en ninguna manera lo quería hacer, y al fin, rogado de tantos, se la dejó, con que le dieron otra cruz vieja que tenían, antigua, de plata, que podrá pesar dos o tres libras, según decían.

Y ansí nos partimos alegres con el buen trueque y con haber negociado bien en todo. En todo no vio nadie lo susodicho, sino yo, porque me subí a par del altar para ver si había quedado algo en las ampollas, para ponello en cobro, como otras veces yo lo tenía de costumbre; y como allí me vio, púsose el dedo en la boca, haciéndome señal que callase. Yo ansí lo hice, porque me cumplía, aunque después que vi el milagro, no cabía en mí por echallo fuera, sino que el temor de mi astuto amo no me lo dejaba comunicar con nadie, ni nunca de mí salió, porque me tomó juramento que no descubriese el milagro, y ansí lo hice hasta agora.

Y, aunque mochacho, cayome mucho en gracia, y dije entre mí: «¡Cuántas déstas deben de hacer estos burladores entre la inocente gente!».

Finalmente, estuve con este mi quinto amo cerca de cuatro meses, en los cuales pasé también hartas fatigas [19].

---

[19] La edición de Alcalá añade: «aunque me daba bien de comer, a costa de los curas y otros clérigos do iba a predicar».

TRACTADO SEXTO

CÓMO LÁZARO SE ASENTÓ CON UN CAPELLÁN, Y LO QUE CON ÉL PASÓ

Después desto, asenté con un maestro de pintar panderos [1], para molelle los colores, y también sufrí mil males.

Siendo ya en este tiempo buen mozuelo, entrando un día en la iglesia mayor, un capellán de ella me recibió

---

[1] Como he indicado en la Introducción, la crítica no ha dado todavía con la clave significativa de este «maestro de pintar panderos». Bataillon cree que puede guardar relación con alguna vieja conseja española, entroncada en la tradición del *Till Eulenspiegel,* y en la cual un fingido pintor engañaría a un rústico, haciéndose pagar por adelantado. Atendiendo al pandero y recordando dichos del tipo «se torna siempre a pandero», Blecua sospecha que «el *pandero,* o bien no es un instrumento musical, o éste y su pintura tenían íntima relación con la nobleza de una familia», por lo que nos encontraríamos aquí con «una anticipación del tema de la honra». Acaso guarde relación con las artimañas de la fullería o con la alcahuetería (M. Molho). En cualquier caso, no parece que una interpretación absolutamente ceñida al realismo —el maestro de pintar panderos sería sólo «uno de los buhoneros que se ganaban la vida vendiendo las panderetas que ellos pintaban» (Rico)— resulta corta, dada la sumarísima alusión, si ésta no llevaba consigo para el lector u oyente de la época una referencia implícita a las costumbres o fama de los maestros de pintar panderos.

por suyo; y púsome en poder un buen asno y cuatro cántaros y un azote, y comencé a echar agua por la cibdad. Éste fue el primer escalón que yo subí para venir a alcanzar buena vida, porque mi boca era medida [2]. Daba cada día a mi amo treinta maravedís ganados, y los sábados ganaba para mí, y todo lo demás, entre semana, de treinta maravedís [3].

Fueme tan bien en el oficio que, al cabo de cuatro años que lo usé, con poner en la ganancia buen recaudo, ahorré para me vestir muy honradamente de la ropa vieja [4], de la cual compré un jubón de fustán viejo y un sayo raído de manga tranzada y puerta [5], y una capa que había sido frisada, y una espada de las viejas primeras de Cuéllar [6]. Desque me vi en hábito de hombre de bien, dije a mi amo se tomase su asno, que no quería más seguir aquel oficio.

---

[2] *mi boca era medida:* cree Blecua que Lázaro elogia con esta frase su propia voz, y prepara con ello su carrera hacia el oficio de pregonero. Sin excluir esa lectura, entiendo que Lázaro alude, a la vez, a su prudencia; en el *Buen aviso y portacuentos,* de Timoneda, se explica así una mejoría de vida: «La boca medida, / i la bolsa estreta, / ñu fet en bragueta / sustenten la vida / i fan-la quieta». A pesar de la miseria de su salario, Lázaro logra ahorrar y mejorar su vida, porque es parco.

[3] Todo lo que, en el destajo diario, pasaba de treinta maravedís, era para Lázaro. Y, a más de esto, cuanto ganaba los sábados. Molho, que donosamente califica el contrato como de «La Toledana de Aguas», sospecha que el tal capellán debía de ser un converso puesto que, contraviniendo la tradición cristiana de que el sacerdote no debe dedicarse al comercio, renuncia al producto del trabajo en sábado, día santo del judaísmo.

[4] La mayor parte del pueblo se vestía con ropa vieja.

[5] *tranzada y puerta:* trenzada y abierta por delante.

[6] *Cuéllar:* villa de Segovia donde tenía el taller el famoso espadero Antonio, citado por el hidalgo del Tratado III.

TRACTADO SÉPTIMO

CÓMO LÁZARO SE ASENTÓ CON UN ALGUACIL, Y DE LO QUE LE ACAESCIÓ CON ÉL

Despedido del capellán, asenté por hombre de justicia con un alguacil. Mas muy poco viví con él, por parescerme oficio peligroso. Mayormente, que una noche nos corrieron a mí y a mi amo a pedradas y a palos unos retraídos [1]. Y a mi amo, que esperó, trataron mal; mas a mí no me alcanzaron. Con esto renegué del trato.

Y pensando en qué modo de vivir haría mi asiento, por tener descanso y ganar algo para la vejez, quiso Dios alumbrarme y ponerme en camino y manera provechosa. Y con favor que tuve de amigos y señores, todos mis trabajos y fatigas hasta entonces pasados fueron pagados con alcanzar lo que procuré, que fue un oficio real, viendo que no hay nadie que medre, sino los que le tienen [2]. En el cual el día de hoy vivo y resido a servicio de

---

[1] *retraídos:* delincuentes que, acogiéndose al derecho de asilo, se refugiaban —retraían— en una iglesia donde no podía entrar la justicia.

[2] Es lo mismo que dice un personaje de la *Comedia Seraphina,* de Torres Naharro: «Señor, servirte cobdicio; / pero ya sabes mejor / *que, para hacerse honor, / a un hombre basta un oficio»* (cit. por Rico, pág. 117).

Dios y de Vuestra Merced [3]. Y es que tengo cargo de pregonar los vinos que en esta ciudad se venden, y en almonedas y cosas perdidas, acompañar los que padecen persecuciones por justicia y declarar a voces sus delictos: pregonero [4], hablando en buen romance.

LA EDICIÓN DE ALCALÁ AÑADE:

En el cual oficio, un día que ahorcábamos un apañador en Toledo, y llevaba una buena soga de esparto, conocí y caí en la cuenta de la sentencia que aquel mi ciego amo había dicho en Escalona, y me arrepentí del mal pago que le di, por lo mucho que me enseñó, que, después de Dios, él me dio industria para llegar al estado que ahora estó.

Hame sucedido tan bien, yo le he usado tan fácilmente, que casi todas las cosas al oficio tocantes pasan por mi mano. Tanto, que en toda la ciudad, el que ha de

[3] Reaparece aquí la figura del destinatario de la carta: ese anónimo personaje que ha solicitado de Lázaro amplia noticia sobre su «caso».

[4] Insiste mucho la crítica en la vileza del oficio de pregonero, confiado muchas veces a moriscos. Por mi parte he notado, sin embargo, que constituía una discreta fuente de ingresos y que, clasificados en pregoneros *mayores y menores,* a aquéllos, entre los que parece estar Lázaro, se les exige honestidad de vida, aval de señores notables y un depósito pecuniario de fianza. Se entiende bien, según ello, que Lázaro ha necesitado el «favor de amigos y señores» para obtener el puesto, y que se esfuerce en destacar su «buena vida». Otra cosa es, como ya he explicado en la Introducción, la fama que tenían los pregoneros de dar gato por liebre, y, en consecuencia, la significación de soporte paródico que supone el hecho mismo de que quien aquí exhibe su vida sea un pregonero.

echar vino a vender, o algo, si Lázaro de Tormes no entiende en ello, hacen cuenta de no sacar provecho.

En este tiempo, viendo mi habilidad y buen vivir, teniendo noticia de mi persona el señor arcipreste de Sant Salvador[5], mi señor, y servidor y amigo de Vuestra Merced, porque le pregonaba sus vinos, procuró casarme con una criada suya. Y visto por mí que de tal persona no podía venir sino bien y favor, acordé de lo hacer. Y así me casé con ella, y hasta agora no estoy arrepentido, porque, allende de ser buena hija y diligente servicial[6], tengo en mi señor arcipreste todo favor y ayuda. Y siempre en el año le da, en veces, al pie[7] de una carga de trigo; por las Pascuas, su carne; y, cuando el par de los bodigos[8], las calzas viejas que deja. Y hízonos alquilar una casilla par de la suya. Los domingos y fiestas casi todas las comíamos en su casa.

Mas malas lenguas, que nunca faltaron ni faltarán, no nos dejan vivir, diciendo no sé qué y sí sé qué, de que veen a mi mujer irle a hacer la cama y guisalle de comer. Y mejor les ayude Dios que ellos dicen la verdad.

---

[5] Parroquia de Toledo a la que pertenecían familias nobles.

[6] *diligente servicial:* diligente criada o sirviente.

[7] *al pie:* cerca de, casi cuatro fanegas.

[8] *y cuando el par de los bodigos:* frente a la mayor parte de editores que interpretaban *cuándo,* tónico, como «a veces», Blecua lo lee con valor subordinante: cuando los fieles entregan al cura un par de bodigos, éste me da las calzas. Acaso fuera por el Corpus o por San Marcos (Rico). Yo prefiero esa lectura, que refuerzo anteponiendo coma al inciso temporal.

LA EDICIÓN DE ALCALÁ AÑADE:

Aunque en este tiempo siempre he tenido alguna sospechuela y habido algunas malas cenas por esperalla algunas noches hasta las laudes y aún más, y se me ha venido a la memoria lo que mi amo el ciego me dixo en Escalona, estando asido del cuerno; aunque de verdad siempre pienso que el diablo me lo trae a la memoria por hazerme malcasado, y no le aprovecha.

Porque, allende de no ser ella mujer que se pague destas burlas, mi señor me ha prometido lo que pienso cumplirá; que él me habló un día muy largo delante de ella y me dijo:

—Lázaro de Tormes [9], quien ha de mirar a dichos de malas lenguas nunca medrará. Digo esto, porque no me maravillaría alguno [10], viendo entrar en mi casa a tu mujer y salir de ella. Ella entra muy a tu honra y suya [11], y esto te lo prometo [12]. Por tanto, no mires a lo que pueden decir, sino a lo que te toca, digo a tu provecho [13].

—Señor —le dije—, yo determiné de arrimarme a los buenos [14]. Verdad es que algunos de mis amigos me han

---

[9] Nótese que el arcipreste se dirige a él con el apelativo de honra: Lázaro de Tormes.

[10] *alguno:* no me maravillaría que surgiera algún chisme.

[11] Bajo la ambigüedad se agazapa el cinismo: «... a tu honra y suya», es decir, a la honra que a ti, voluntario cornudo, y a ella, manceba de clérigo, os corresponde.

[12] *te lo prometo:* te lo aseguro.

[13] En el Tratado III he subrayado la frase habitual «lo que toca a la honra». Aquí se cierra la simetría de contraposición: el arcipreste recomienda a Lázaro despreocuparse y atender a lo que *le toca, «a tu provecho».*

[14] Recuérdese que su madre, «como sin marido y sin abrigo se viese, determinó arrimarse a los buenos por ser uno dellos», con el resultado sabido.

dicho algo de eso y aun por más de tres veces me han certificado que, antes que comigo casase, había parido tres veces [15], hablando con reverencia de Vuestra Merced, porque está ella delante.

Entonces mi mujer echó juramentos sobre sí, que yo pensé la casa se hundiera con nosotros. Y después tomose a llorar y a echar maldiciones sobre quien comigo la había casado, en tal manera que quisiera ser muerto antes que se me hubiera soltado aquella palabra de la boca. Mas yo de un cabo y mi señor de otro, tanto le dijimos y otorgamos, que cesó su llanto, con juramento que le hice de nunca más en mi vida mentalle nada de aquello, y que yo holgaba y había por bien de que ella entrase y saliese, de noche y de día, pues estaba bien seguro de su bondad. Y así quedamos todos tres bien conformes.

Hasta el día de hoy nunca nadie nos oyó sobre el caso; antes, cuando alguno siento que quiere decir algo de ella, le atajo y le digo:

—Mirá, si sois mi amigo, no me digáis cosa con que me pese, que no tengo por mi amigo al que me hace pesar; mayormente, si me quieren meter mal con mi mujer, que es la cosa del mundo que yo más quiero, y la amo más que a mí, y me hace Dios con ella mil mercedes y más bien que yo merezco. Que yo juraré sobre la hostia consagrada que es tan buena mujer como vive dentro de las puertas de Toledo. Y quien otra cosa me dijere, yo me mataré con él.

Desta manera no me dicen nada, y yo tengo paz en mi casa.

---

[15] *parido tres veces:* abortado tres veces. Recuérdese la cancioncilla que he citado en la Introducción, «Bien se pensaba la reina...».

Esto fue el mesmo año que nuestro victorioso emperador en esta insigne ciudad de Toledo entró y tuvo en ella Cortes y se hicieron grandes regocijos y fiestas [16], como Vuestra Merced habrá oído.

Pues en este tiempo estaba en mi prosperidad y en la cumbre de toda buena fortuna.

LA EDICIÓN DE ALCALÁ AÑADE:

De lo que aquí adelante me suscediere, avisaré a Vuestra Merced.

[16] Para la fijación de la cronología de esas Cortes, véase lo dicho en la Introducción.

Impreso en CPI (Barcelona)
c/ Torrebovera, s/n (esquina c/ Sevilla), nave 1
08740 Sant Andreu de la Barca

AUSTRAL